José Ferrater Mora
Regreso del infierno

# José
# Ferrater Mora

# Regreso
# del infierno

Theodore Lownik Library
Illinois Benedictine College

Ediciones Destino
Colección
Áncora y Delfín
Volumen 640

863.6
F379r

No se permite la reproducción total o parcial de este libro, ni su incorporación a un sistema informático, ni su transmisión en cualquier forma o por cualquier medio, sea éste electrónico, mecánico, por fotocopia, por grabación u otros métodos, sin el permiso previo y por escrito de los titulares del *copyright*.

© José Ferrater Mora
© Ediciones Destino S.A.
Consell de Cent, 425. 08009 Barcelona
Primera edición: septiembre 1989
ISBN: 84-233-1782-X
Depósito Legal: B. 31.177-1989
Impreso por Limpergraf, S.A.
Carrer del Riu, 17
Ripollet del Vallès (Barcelona)
Impreso en España - Printed in Spain

1

Seguro que me quedé dormido.

Y como un tronco, porque al abrir los ojos veo sólo negruras y tinieblas. Debe de ser noche cerrada. Por un rato imagino estar en mi propia cama, tan holgada y cómoda, en mi propio cuarto de dormir, rodeado de tupidas cortinas, en mi propia casa de New Hope —Nueva Esperanza, en mi lengua vernácula—, circundada de chopos y cipreses. Pero cuando cierro de nuevo los párpados y aguzo el oído, no percibo el rumor del agua que se desliza sobre el florido arroyo tributario de un río contiguo, ni oigo piar de pájaros ni rumor de hojas, de modo que debo de hallarme en otro lugar que, dada mi rutina de los últimos siete años, no puede ser sino un apartamento minúsculo o, lo que viene a ser lo mismo, un cuartucho en el Village, donde paso una o dos noches por semana según los requisitos del horario académico, que no es muy exigente, cuando menos para mí, la única persona —¡el único puertorriqueño!— que en una

Universidad norteamericana de cierto prestigio profesa una materia esotérica titulada «Literaturas clásicas», que, por cierto, y con el permiso de mis escasos alumnos —tres graduados que se han rebelado contra sus mayores matriculándose en esas añejas literaturas— he logrado reducir a unos cuantos poetas griegos y latinos, y con frecuencia a Teognis, Safo, Marcial y Claudiano, en este orden. He estado traduciendo laboriosamente a estos vates, empezando por Safo, a un castellano arcaico que enfurecerá, como si lo estuviera oyendo, al editor barcelonés que, según contrato firmado hace casi un lustro, tiene en proyecto una primera tirada de 250 ejemplares en papel superferolítico y a un precio punto menos que escandaloso, porque está convencido —«convencidísimo»—, me escribió, de que «Safo se vende», de modo que a esta *editio princeps* va a seguir una «para el gran público» de no sé cuántos millares de ejemplares, agraciados con «las ilustraciones pertinentes» que, a lo que se me figura, van a ser lo de siempre: los dedos de la amante rozando apenas las puntas de los senos de la amada, las bocas anhelosas juntándose en un lánguido beso, las sombras de los sexos delicadamente pinceladas, y al pie de cada grabado una cita procedente de mi versión, pijaditas como «Cuando [ella] inunda el orbe entero» o «¡Cólmame de cuanto ansío ser colmada!» y otras expresiones que, fuera de texto, y hasta simplemente fuera del griego, huelen a fotonovela, aunque todo muy recatado, para no desanimar a los posibles compradores, sobre todo los de la tirada principal, y no porque vayan a asustarse, pues seguramente ya tendrán el gusto estragado con tanto pornovídeo como por ahí

8

anda, y tantos tenderetes con exhibiciones al vivo de sadomasoquistas profesionales, pero que, justamente por estar ya de vuelta, se hallan en disposición óptima para paladear las delicias del porno más blando que pueda imaginarse, y hasta me pregunto si no va a llegar el momento en que, al igual que sus tatarabuelos, empiecen a olisquear lo *risqué* que podría resultar, si volvieran a darse las circunstancias apropiadas, la exhibición del tobillo de una dama vestida de larguísimo al depositar el empeine sobre el estrado de su fastuosa limusina. Bueno, mi editor sigue aguardando mi versión, y yo demorando el envío, y no porque no tenga el texto, sino sólo porque necesita aún muchas revisiones —y, para ser sincero, tampoco paso todo el tiempo disponible, y no es poco, con Safo de Lesbos, sus guirnaldas y sus doncellas; a lo largo de los dos últimos seis meses he empleado horas sin cuento trasvasando los ingeniosos epigramas de Marcial, a saber, Marcus Valerius Martialis, que, huelga decirlo, ni mi editor de Barcelona ni ningún otro, incluyendo las «Publicaciones de la Universidad de Puerto Rico, Río Piedras, P. R. 00931», tienen el coraje de lanzar al mercado, razón por la cual no me he tomado ni siquiera la molestia de mencionar a ninguno de esos posibles editores la existencia y obras de Claudiano, Claudius Claudianus, «el último poeta romano», según su biógrafo y panegirista, un tal T. Hodgkin, que debía de haber sido un reverendo, no me cabe duda...

Sí, seguramente he estado durmiendo en mi apartamento liliputiense de University Place, porque ahora oigo el pitido largo y lastimero de una sirena, una de las innumerables que suelen mugir por las noches en esta conejera. Creía que me había acostumbrado, pero no, cada vez que me alcanza el aullido de uno de esos bólidos me despierto sobresaltado, como si vinieran a buscarme para conducirme a un hospital, o a un calabozo, y si la sirena no logra despertarme lo hacen dos pastores alemanes que su ama suele confinar por la noche en un balconcito situado exactamente debajo de mi ventana y que, al oír el bramido, responden, a su vez, con insistentes y quejumbrosos aullidos, imaginando seguramente que algún lobo los está rondando o cualquier otra cosa que pueda pasar por sus nobles magines. De modo que es otra sirena, no hay duda. Pero algo ocurre que no recuerdo que hubiese pasado antes y que es signo premonitorio de acontecimientos portentosos: los perros no ladran, la sirena se pierde en lontananza y los mastines como si hubiesen sido degollados, qué pena. Tras la sirena vuelve a producirse el casi absoluto silencio que la había precedido y que me había hecho conjeturar que estaba en mi casa de Nueva Esperanza, en ese momento antes del filo de la madrugada, cuando todo parece conjurarse para una singular sinfonía concertante que no por azar ha sido ya reproducida y sintetizada por Syntonic Research, Inc., una empresa especializada en lo que llaman «sonoridades ambientales», y que ha tenido la buena idea de poner a la venta un compacto titulado *Madrugada en New Hope*, donde pueden oírse, hasta diría que mejor que en la realidad, los efluvios aurales del lugar que habito la mayor parte de la semana, y del año, incluyendo toda clase y variedad de rumores y ecos, gorgoteos y murmullos, producidos por búhos, cuervos, palomas, insectos, perros y gansos, amén del deslizarse del agua que, por ser tan constante, termina por no oírse y por formar parte de una especie de horizonte de silencio.

Lo mejor será prender la luz eléctrica y salir de dudas. Pero cuando alargo el brazo y doy a tientas con un interruptor, todo sigue igual. Oscuridad completa. Por lo visto, se han fundido las bombillas, o ha habido un cruce de líneas, o una sobrecarga de corriente. O se ha descompuesto algo, lo que por estos barrios ocurre tan a menudo que lo más razonable es esperar a que el sistema se recomponga por sí mismo, como por milagro.

Mientras le estoy dando vueltas a la cuestión de si he regresado ya a mi residencia campestre de New Hope o si sigo en mi covacha neoyorquina, empiezan a despejarse las tinieblas gracias a una luz macilenta que se filtra por un ventanuco encima de mi cabeza.

De nuevo abro los ojos, y echando una cautelosa mirada en torno compruebo que no estoy ni en New Hope ni en mi apartamentito de University Place, sino en otro lugar que por un momento se me antoja desconocido, pero que pronto se me revela familiar: una habitación larga y angosta, con una mesa de formica blanca en el centro y una docena de sillas plegables alrededor.

Pero ¿cómo no me había dado cuenta? Es la pomposamente llamada «Salita íntima», del Bar RPPR, propiedad de mi paisano Juan Cosa. Aquí nos hemos estado reuniendo durante años la flor y nata de la Isla: los licenciados y doctores residentes en el Village. Todos los martes a partir de las nueve, generalmente hasta medianoche, pero en varias ocasiones hasta la una o las dos de la madrugada, debatiendo los méritos y las fallas de nuestro sistema político, y reproduciendo, a escala liliputiense, y probablemente a destiempo, los grandes debates que oportunamente se desencadenaron en la «Patria Chica», probablemente ya antes de los tiempos del «Estado Libre Asociado». Cosa un poco chusca, porque ninguno de los contertulios —poco más de media docena cuando la concurrencia llega al tope— parece abrigar gran interés por el tema, de modo que las discusiones sólo sirven para aquilatar las habilidades retóricas de los que andan —que son casi todos— a la caza de un puesto algo mejor remunerado del que usufructúan y a suficiente distancia de la «isla bonita» para excusarse de visitar a su estridente parentela, que invariablemente pregunta si no habrá en «tu Universidad» o en «tu College» algún «puestecito bien pagado» y que «no dé mucho trabajo».

De modo, pues, que estoy en la «Salita íntima» del Bar RPPR —iniciales que su propietario, el amigo Cosa, se niega a descifrar, aunque su significado salta a la vista: Río Piedras, Puerto Rico—. Y tendido sobre su única pieza mobiliaria de algún valor: un sofá de cuero verde, colocado entre la mesa de formica blanca y la puerta que une la «Salita» con el «Salón General», el nombre con que el optimista Juan Cosa ha bautizado el derrengado cuadrángulo a que se accede directamente desde la acera y que sólo contiene una barra de zinc, tres altas sillas, un televisor y un aparatoso mueble con ocho estantes repletos de botellas y vasos. El que me halle tendido sobre tal sofá es ya de por suyo un acontecimiento singular. Según Juan Cosa —que es lo bastante cándido para ser capaz de inventarlo—, el sofá había pertenecido al destacado patricio y fervoroso krausista, don Eugenio María de Hostos, y ha ido a parar aquí no porque el insigne patriota se hubiese hecho personalmente con él en esta otra isla, quiero decir Manhattan, tan distinta de la bonita, y menos aún porque lo hubiese arrastrado desde el Caribe, sino porque una admiradora chilena suya lo adquirió en un remate en Santiago y se lo trajo para Nueva York, como recuerdo del autor de *La peregrinación de Bayoán* y otras prosas no menos ilustres, si bien, como suele ocurrir, sepultadas ahora en una vasta serie de *Obras completas* que, como todas las de su especie, son más citadas que leídas.

Primer misterio, pues: mi posición supina en el sofá que Juan Cosa guarda como si fuera una pieza de museo y que ha prohibido a todos rozar siquiera con un dedo (él, personalmente, se encarga de quitarle el polvo todos los días con un paño de gamuza semanalmente renovado).

Se me ocurre de buenas a primeras que en el curso de la última tertulia pude haber sufrido uno de esos aneurismas propios de la edad —mi cardiólogo había logrado convencerme, cosa nada difícil en un sujeto tan aprensivo como yo, de que estaba aquejado de una arritmia peligrosa, así como (lo que me gustó por su aire poético) de un *murmur of the heart* o «murmullo del corazón» (palpitaciones, vamos), que poco después llamó (más secamente) «una perturbación sistólica»—. Puede que no hubiera habido más remedio que tenderme precipitadamente sobre el precioso e irremplazable sofá verde. Por lo visto, ahí sigo, acaso en espera de una ambulancia que no ha llegado aún y que probablemente no va a llegar ya nunca. En estos tiempos, hasta para conseguir ambulancia hay que tener amigos en lo que allá llamamos «Casa de Socorro» y aquí es una mera «Sección de Emergencia» de un hospital cualquiera.

Reparo a esta hipótesis: no noto la menor opresión en el pecho, ni calambres o retortijones en el brazo, ni la más leve sensación de mareo. No respiro desacompasadamente —signo inequívoco, opina mi galeno, de que no hay graves trastornos en perspectiva—. De hecho, me siento mejor que nunca, reposado y tranquilo, como tras un largo y reparador sueño, con sólo la sensación de que mi cuerpo está hecho de plomo.

Mi objeción a la conjetura de una súbita embolia mientras discutía acaloradamente con mis paisanos en la «Salita íntima» del RPPR se ve considerablemente reforzada por el hecho de que nadie, ni siquiera un policía de servicio o una enfermera de guardia, estén presentes. Además, pensándolo bien, no podía haber sufrido una embolia, una angina de pecho, un infarto, una trombosis, o siquiera una modesta miocarditis mientras departía con mis contertulios por la simple razón de que hace ya bastantes semanas que no les veo el pelo. Todavía frecuento el RPPR, pero es casi siempre para echar un palique con su propietario, no vaya a creer que porque soy un Profesor en una Universidad de postín me he vuelto engreído. Pero recuerdo muy bien que durante los tres últimos meses no he acudido ni una sola vez a las tertulias de los martes. En parte porque comienzo a estar un poco harto de mis paisanos; en parte porque ya no sé qué decirle al infeliz Julio Campoy Campoy, eterno aspirante a un puesto de profesor de latín en algún College «de renombre» que le permita renunciar a su actual «cátedra de lengua y literatura hispánicas» en un ignoto College de la Bowery; y en parte porque después de mi seminario de «Clásicas» me siento más fatigado que de costumbre y no estoy para reuniones y menos aún para recomendaciones. Sólo aspiro a sepultarme en mi apartamentito de University Place para recoger, al día siguiente, y cuanto antes, mi Suzuki-Samurai, llegar a mi casa de Nueva Esperanza y comulgar de nuevo —se entiende, literariamente— con mis poetas preferidos, a los que recientemente he agregado el texto griego del *Apocalipsis*, una obra tan demente como fascinante.

Tiene que haber razones de más peso que expliquen mi aberrante presencia a estas horas madruguiles —mi reloj de pulsera marca las cuatro— en este local y, por añadidura, tendido sobre este sofá prohibidísimo.

Acostumbrado como estoy a las reflexiones solitarias, no se me ocurre hacer lo que en ocasiones similares haría cualquier otro sujeto menos fantaseador que yo: echar de nuevo una cuidadosa ojeada a lo que me circunda. O, mejor aún, agarrar el auricular del teléfono y llamar a Juan Cosa para preguntarle —a la vez que presento excusas por lo intempestivo de la hora y por la naturaleza de la propia pregunta, que seguramente se le va a antojar manicomial— por qué diablos estoy a estas horas tan tempranas en *su* bar sin nadie a la vista y, me lo estoy oliendo, con todas las puertas atrancadas con llave, pestillo, cerrojo y combinación de seguridad.

Decido empezar con lo primero, esto es, mirar en torno, para ver si así le encuentro una explicación aceptable a esta situación un poco bufa. ¡Solo, entre cuatro paredes, como un burlador cualquiera encerrado por un marido calderoniano!

Por lo pronto, observo que en el saloncito «íntimo» todo sigue como antes, quiero decir, exactamente tal como lo recuerdo de las reuniones semanales con mis postergados compatriotas. Todo en su sitio: la mesa de formica blanca, las sillas plegables, las cuatro paredes pintadas de amarillo chillón perfectamente desnudas salvo el calendario —«1992: Año del Descubrimiento»— abierto en el mes de marzo, y con todos los días cruzados hasta el viernes, 19, penúltimo del invierno, lo cual significa que ya estamos a punto de iniciar la primavera. Desde luego, no excluyo la posibilidad de que desde la última marca visible en el calendario hubiera transcurrido una semana entera, sobre todo si, en el entretanto (a ratos mi fantasía no conoce límites) me han estado alimentando intravenosamente. El sofá de cuero verde está tan luciente —y tan feo— como de costumbre. De la habitación contigua —el «Salón General»— no me llega ningún rumor, lo que a estas horas tempranas o, según se mire, muy tardías es perfectamente comprensible: recuerdo que Juan Cosa cierra siempre su cuchitril un poco después de medianoche y no suele abrirlo antes de las diez y media de la mañana; a menudo no lo abre sino después del mediodía, en cuyo caso deja un cartelón colgando en la puerta principal, anunciando que, «por excepción» lo abrirá «aquel día» por la tarde, y recordando que tendrá «a disposición de los parroquianos» todas las «especialidades de la Casa», en particular las «Cubas libres» y las «riquísimas piñas coladas».

Empiezo a conjeturar que, a despecho de lo que aseguran mis recuerdos, me habré reunido con mis amigotes, habré ingerido más piñas coladas de las que soy capaz de aguantar y hasta me habré enzarzado con ellos, salvo con Julio Campoy Campoy (que le conviene estar a mi lado y siempre me da la razón), en una acalorada disputa sobre algún aspecto del «futuro político y cultural de nuestra patria». A altas horas de la madrugada, pero de todos modos antes de la una, habré pescado una turca fenomenal y todos habrán acordado —previa consulta con el dueño, que es un buenazo y habrá hecho una excepción— que lo más discreto sería que la durmiera sobre el sofá de cuero verde. Quizás recordó que en cierta ocasión le dije que, «según un antepasado nuestro, que conoces muy bien, la patria es la humanidad concreta y la humanidad es la patria abstracta» —o lo contrario, no estoy seguro ahora, pero de lo que estoy seguro es de lo del «antepasado nuestro, que conoces muy bien», y que no podía ser otro que el ilustre Eugenio María de Hostos, le causó una impresión indeleble, lo que explica que a partir de aquel momento yo fuera la única persona a la que hubiese permitido tocar el sillón de cuero verde y hasta sentarse en él. Razón de más para dejar que, en estas circunstancias, me tendieran, esperando que me recobrara, sobre la venerable antigualla.

Nada alarmante, pues, sobre todo si se considera que lo de la curda me había ocurrido ya antes. Eso sí, una sola vez, hace unos tres o cuatro años, y por cierto que el magnánimo Juan Cosa no sólo no me lo había reprochado, sino que parecía inclusive haberse alegrado de ello, como si de este modo, al ver que hasta los Profesores tienen sus flaquezas, los demás simples mortales, de quienes no hay que esperar gollerías, quedaran automáticamente absueltos. Como para confirmar la presunción de la borrachera, comienzo a notar un vacío, por cierto que no completamente desagradable, en la coronilla, como cuando, en efecto, se ha bebido un poco más de la cuenta y no sólo la cabeza, sino el mundo entero, parecen livianos como plumas.

Tras la inspección sumaria de la habitación, me incorporo, no sin alguna dificultad —las piernas todavía me flaquean— para comprobar si ha quedado abierta una por lo menos de las dos puertas del local. Una es la trasera, un poco más allá del W. C. y de una habitación para trastos viejos, que desemboca en una especie de descampado para botar, como decimos los caribeños, latas y bultos de basura, y la otra es la principal, que da a la calle. Si conozco bien a mi Juan Cosa, habrá cerrado con doble llave la puerta principal con el fin de no tentar a los malhechores nocturnos y habrá dejado entornada la puerta trasera, por la cual podré oportunamente deslizarme sin ser visto y alcanzar una callejuela a no excesiva distancia de mi apartamentito. Me dispongo a confirmar mi doble conjetura y empiezo a dar unos pasos tanteantes.

Primera sorpresa: el acceso al «Salón General» está obstruido por un montón de cascotes.

A cualquiera en estos barrios que tropiece con cascotes se le ocurrirá de inmediato que ha tenido lugar algún desastre. Usualmente, un incendio. Hay tantos por aquí que uno acaba por no hacerles caso y hasta por considerarlos como un mal relativo que oportunamente dará origen a un bien:

la reconstrucción urbana de la que tanto se ha hablado y por la que tan poco se ha hecho. El que de los males surjan bienes es un fenómeno común a todas las sociedades, y que se hace sobre todo patente en las grandes urbes: casi todos los tenderetes y teatritos de mala muerte que pululaban en torno a Times Square se esfumaron no porque se hubiera llevado a cabo con éxito una campaña en favor del saneamiento urbano, sino sólo porque los terrenos en los que estaban asentados dichos tugurios encarecieron tanto que sólo las grandes empresas constructoras de rascacielos pudieron alquilar, o comprar, los solares. Pero volviendo a lo de los cascotes, mis primeras presunciones sobre su origen no se confirman. En todo caso, no veo nada quemado. Además, de haber habido un incendio y de haberme pillado en esta ratonera, no estaría ahora aquí para contarlo. Por si esto no bastara para descartar la idea del incendio, es obvio que lo primero que hubiera sido pasto de las llamas habría sido el sofá de cuero verde. Éste sigue intacto, inclusive con aquella tan visible vedija de lana escapando de un agujero en el respaldo, imperfección que el amigo Cosa se ha negado a hacer reparar por respeto hacia el ex propietario.

Si no un incendio, puede que fuera un derrumbe de paredes medianeras o que se hubiera súbitamente abierto una brecha en la pared. Estos percances son todavía más comunes por acá que los incendios *et pour cause*: por cada dólar que se gasta en la construcción, cuarenta centavos van a parar a los bolsillos de proveedores desaprensivos, y otros cuarenta se reparten entre autoridades y mafias aún menos escrupulosas. En consecuencia, los edificios duran sólo un quinto de lo que los contratistas habían asegurado a los dueños, y posiblemente un cuarto de lo que los subcontratistas habían asegurado a los contratistas. De repente se derrumban paredes o se comban techos, dejando desnudos los innumerables cables que atiborran las entrañas de esos dilapidados habitáculos.

Pero los cascotes que se han acumulado entre los dos «Salones» del RPPR no son el único signo de que algo se ha venido abajo: el gran mueble detrás de la barra de zinc se ha desplomado, y la propia barra yace por el suelo, retorcida como si se la hubiese sacudido violentamente, y circundada de pedazos de vidrio.

Pues sí, señor, caramba, ¿cómo no se me había ocurrido antes? Fue un terremoto, una de esas sacudidas telúricas que han asolado, entre otros países, Chile, Colombia, Nicaragua y Armenia, y que ahora, a despecho de las predicciones de que las primeras víctimas del próximo estremecimiento serán los desgraciados que todavía insisten en vivir en California, especialmente los asentados sobre la quebraja de San Andreas, se cebó, toma castaña, en el Este, con sorpresa de sismógrafos y satisfacción de adivinos y profetas de ocasión, que hacía tiempo venían prediciendo un cataclismo anunciador de que el fin del puñetero mundo estaba al llegar —¡como si no hubiese estado al llegar desde que hizo su aparición malhadada!—. Nadie, salvo los pecadores empedernidos, podían sorprenderse, porque ¿no era hora de imponer un castigo ejemplar a tanto ladrón y a tanto maricón como por ahí andan y prosperan, aunque para ello hubiese que sacrificar a infinitos inocentes? Castigo de Dios, como decía aquella canción que sólo recuerdan los españoles y aun sólo los de los tiempos de don Miguel Primo de Rivera. ¡Y todo eso mientras yo dormía a pierna suelta y por un inescrutable decreto divino me salvaba de la catástrofe! Y conmigo, el histórico y patriótico sofá que Juanito Cosa había conservado siempre en tan buenas condiciones («hay que honrar —musitaba de vez en cuando— la memoria del Gran Patricio») y que acaso había servido de pararrayos para detener la justa ira divina.

Sea una cosa u otra, aquí habrá ocurrido algo anómalo e insólito.

Pasando a horcajadas por encima de cascotes y vidrios rotos me dirijo a cada una de las dos puertas del local. La principal, como me lo suponía, está cerrada, al parecer, y a juzgar por lo reciamente que responde a mis sacudidas, con triple llave. Voy a la segunda y eso sí que ya no lo puedo creer. ¡También cerrada y, por si fuera poco, atrancada con un grueso candado! Hasta me pregunto cómo se podían cerrar ambas puertas de este modo, pero la respuesta es obvia: Juan Cosa o quien fuese que hubiese sido el último en abandonar el local, atrancó primero firmemente la puerta trasera y cerró con llave luego la principal.

Sigo, pues, a oscuras, aunque esto ya sólo metafóricamente. A la altura de los ojos de la puerta de entrada se extiende una angosta abertura, una especie de tronera, con un grueso cristal permanentemente sucio. Algo podrá vislumbrarse. Se podrá ver, y ya será algo, si la calle sigue iluminada por los focos que suelen estar encendidos día y noche, aunque sólo sea porque esto resulta más barato que encargar a un empleado del Municipio que los apague al amanecer y los vuelva a encender al atardecer o que mandar instalar la maquinaria automática apropiada. En cualquier caso, *si* hay luz en la calle o *si* en el edificio de enfrente hay algo iluminado, se podrá concluir que de haberse presentado problemas en el sistema eléctrico del RPPR habrán sido meramente locales.

Ahora, en cuanto a lo del terremoto...

# 2

Lo del terremoto hay que descartarlo.

El ojo pegado a la aspillera, ha transcurrido lo que me ha parecido una eternidad, y han sido probablemente un par de minutos. Lo suficiente para darme cuenta de que no ha tenido lugar ninguna de esas sacudidas telúricas profetizadas por los llamados «videntes» (o «psíquicos») en la prensa de los supermercados —profecías usualmente acompañadas de rumores de divorcio entre parejas célebres y de escalofriantes noticias sobre el nacimiento de algún monstruo con tres cabezas.

Prueba de que no ha habido temblores: nada de cascotes en medio del arroyo; nada de paredes derrumbadas y otras clásicas manifestaciones de la ira divina o de los regidores del Tártaro.

Como nunca me acuesto tan tarde —son ya las cuatro y media de la madrugada— ni jamás me levanto tan temprano, no tengo la menor idea de si a esas misteriosas horas las vías públicas tienen el desolado aspecto que ofrece esta callejuela. No sólo sin peatones, sino también —lo que en nuestro tiempo ha de parecer punto menos que increíble— sin vehículos. Estoy seguro de que si hubiera tenido lugar un terremoto, se habría notado. No sólo con desechos y ruinas por doquier, sino también con muertos y heridos llevados en ambulancias o apilados en camiones requisados por las autoridades municipales y estatales. En vez de tan luctuoso tráfico, sólo la plomiza luz de la madrugada, reinando sobre un silencio impresionante, en una calzada desierta.

En todo caso, no es así como se presentaron en la televisión los terremotos que devastaron Armenia y los países hermanos.

Cierto que no hay ningún farol encendido ni la menor luz en las ventanas del edificio de enfrente, de modo que si hubo averías en los cables eléctricos no debían de haberse confinado al local del RPPR. Pero esto no permite aún concluir que hubo un terremoto u otro cataclismo del mismo género. Tal vez no ocurrió nada digno de contarse. Un apagón general, eso sí, pero en estos últimos tiempos ha habido tantos que ya no llaman la atención. Es unánime atribuir la culpa a Con Edison o a cualquier otra Compañía de Servicios Públicos, y con alguna razón, porque estas organizaciones parecen estar más atentas a percibir pingües emolumentos por sus dudosos servicios que a prestar éstos con la esperada diligencia. Pero ahí termina la cosa.

Podría preguntarme —¡otra vez!— por qué desde hace un rato me he emperrado en la idea de que, mientras dormía, o yacía inconsciente, sobre el sillón de cuero verde, tuvo lugar una gran catástrofe que se cebó, si no sobre la humanidad entera, por lo menos sobre los diez o doce millones de almas que se apiñan en este hormiguero.

Sospecho que la razón principal fue el descubrimiento de los cascotes, el techo medio desplomado y las botellas y vasos hechos trizas. Pero ¿había realmente para tanto? ¿Por qué no seguí con la primera, y más razonable, conjetura de una trompa descomunal al punto que les resultó imposible, al amigo Cosa y a mis contertulios, depositarme en un coche y conducirme, entre guiños y sonrisitas de «eso le pasa a cualquiera», hasta mi apartamentito de University Place?

Para empezar, sospecho que si le di tantas vueltas a la posibilidad de un terremoto fue con el único propósito de sepultar en el subconsciente todo sentimiento de vergüenza por la supuesta pítima. Luego, y sobre todo, porque la idea de un terremoto es más interesante que la de una vulgar borrachera. Hablar de ésta a mis escasos —bien que selectos— amigos de New Hope habría sido un tanto embarazoso —caso de que les hubiera interesado en lo más mínimo—. En cambio, ¡vaya gentío no se congregaría a mi alrededor de tener la suerte de poder informar que yo, yo, *yo mismo, personalmente,* había sido testigo de un *Gran Cataclismo,* acompañado de un sinfín de escenas tan trágicas como conmovedoras! Por lo que voy viendo del mundo, los Cataclismos, las Catástrofes y las Convulsiones ejercen una singular atracción sobre quienes no han estado presentes en ellas, a la vez que una indudable fascinación sobre quienes tienen (o creen tener) sobre ellas algo que contar. ¡Qué magnífica oportunidad para poder soltar la cantinela de que uno, quiere decirse yo, había estado allí, sí, señoras y señores, allí mismo,

en el mismísimo centro del Gran Torbellino, pro-
tagonista del Grandioso-Drama-que-se-desarrolló-
ante-Mis-Ojos, y del cual, por fin, todo-el-mundo-
que-lo-desee-podrá-tener-noticias-fidedignas-de-
primera-mano!

Esto me parece harto probable, pero no basta
para explicar por qué he seguido manteniendo,
contra toda evidencia, la absurda hipótesis del
terremoto. Debe de haber una razón de más
peso...

Qué será... Qué podría ser...

Pero ¡ya caigo! Mis lecturas, con propósitos puramente literarios y traducteriles, del *Apocalipsis*
o *Revelación* que San Justino el Mártir atribuyó a
«Juan, uno de los apóstoles de Cristo»; que Papías
de Hierópolis (en Frigia) atribuyó a otro Juan, de
Éfeso, llamado «el Presbítero»; que, si la memoria
no me falla (y no me falla nunca), otros atribuye-
ron a un tal Cerinto, y que, en todo caso, ha engendrado una bibliografía tan vasta que ni siquiera yo, que soy un verdadero traga-libros, me veo
capaz de controlarla.

Insisto en lo de «propósitos puramente literarios
y traducteriles» para que nadie piense que estoy
completamente majareta. El susodicho *Apocalipsis* o *Revelación* fue probablemente la obra de uno
(o varios) locos de atar, un interesante ejemplo de
las chaladuras que debían ser moneda corriente
en aquellos remotos siglos, de modo que no tengo
ninguna obligación de creer uno solo de sus deli-
rios. Hoy día, además, ya no se estilan, salvo, bien
entendido, para servir de material a los predicadores electrónicos con el fin de aumentar el número de sus fieles contribuyentes o como escenario para superproducciones cinematográficas o

roqueras, con gran copia de efectos especiales, visuales y sonoros. Aunque, bien mirado, y dada la increíble credulidad de las gentes... Pero dejo de lado, por el momento, la idea, que me viene atormentando (o más bien cautivando) desde hace años, de que nuestros tiempos se van pareciendo cada vez más a «aquéllos». Quería asegurar sólo (por lo pronto, asegurarme a mí mismo) de que mi creciente interés por el citado *Apocalipsis* es exclusivamente libresco y que de ningún modo pienso que todos esos Ángeles y todas esas exóticas Vasijas selladas que se van abriendo espectacularmente, entre truenos y trompetas, tienen algo que ver con nuestro mundo dominado por la economía y la tecnología. Esto debería bastar para hacerles callar la boca a los amigos, tanto los de New Hope como los del Village, que me dicen —y no sin cierto retintín— que soy, por temperamento o por formación (o más bien, y es lo que tienen en el pesquis, deformación), uno de esos sujetos que ven el mundo sólo a través de los libros y que son totalmente incapaces de enfrentarse con «la realidad». Al principio, este reproche me atosigaba bastante, porque, hoy por hoy, y por lo menos en este país (pero crecientemente en todos), el interesarse por los libros parece ser algo cada vez más sospechoso, signo de que uno es un infeliz o un mariquita. En la actualidad ya no me preocupa ni mucho ni poco que se me considere un ratón de biblioteca, y hasta lo estimo un honor. Pero de esto a suponer que no tengo la menor idea de lo que es, y cómo es, este diablo mundo, va un gran trecho. En rigor, el asiduo contacto con libros —sobre todo si son de épocas lejanas— debería de ser una garantía de que se está inmunizado contra toda clase de patrañas posmodernas. Admito que no pocos libros, incluyendo algunos estimados venerables, pueden hacer ver las cosas de un modo muy distinto de como son. Pero no necesariamente más deformadas de como suelen presentarse a la vista de casi todo el mundo. No se lo he dicho aún a nadie, para que no lo tomen a mal, pero abrigo la sospecha de que, salvo *les bons sauvages* (algunos deben de quedar aún), la mayoría de la gente del planeta lo ve todo a través de anteojeras. Si las cosas aparecen deformadas y distorsionadas, no es generalmente a causa de los libros. Es más bien a causa del cine, la prensa, los anuncios en la televisión. ¡Sobre todo los últimos! ¿Quién puede decir con seguridad dónde termina la información y dónde empieza la publicidad (o viceversa)? De modo, amigos, que ver el mundo a través de Safo de Lesbos o de Marcial de Bilbilis (Calatayud para los ignorantes) es menos aberrante de lo que parece.

Pero volvamos al *Apocalipsis*.

Lo que me llevó a leer y a iniciar la traducción de esta obrilla (me refiero sólo a su tamaño) no fue el deseo de averiguar cómo nació de la cabeza indudablemente febril de su autor, ni la curiosidad de saber qué género de textos estaban produciendo los cristianos al tiempo que algunos de mis autores paganos enriquecían sus respectivas literaturas. Fue un puro azar. Buscando un día en la biblioteca de New York University, por el lado sur de Washington Square, una versión castellana de Marcial con que cotejar la que yo estaba premiosamente elaborando, me topé con un volumen, publicado por la Real Academia Española, que ofrecía, arropado en una erudición impresionan-

te, el texto del «Nuevo Testamento. Versión castellana de hacia 1260». Abriendo, no menos al azar,
el pesado tomo, me topé, en su página 438, con el
siguiente párrafo: «E uino el uno de los siete an-
geles que tenien las siete redomas [vasijas], e dixo
me: Ven aca, e mostrar te el dannamiento [enjui-
ciamiento] de la grand puta que esta sobre muchas aguas, con que fornegaron los reyes de la
tierra, y enbebdaron se [se emborracharon] los
moradores de la tierra del uino de su puteria».
Esta encantadora descripción me llevó de corrido
a otras similares en el mismo libro, como la de los
ángeles que «tanxaron» [tañeron] las «trompas»
[trompetas] y la de las «lagostas» que salieron del
«fumo del pozo» y otras muchas que tenían un sabor como de rosa temprana, o de cordero lechal,
o cosa por el estilo: algo nuevo, reciente, fragan-
te. Es posible que en la época en que se produje-
ron esas versiones de las Escrituras, el lenguaje
usado fuera el de clérigos estudiosos, formados en
la asidua lectura de la Vulgata. Pero a distancia
daba la impresión de que era un lenguaje jubiloso
surgido del trato con juglares y ovejeros. Ahora
bien, pensé de súbito, ¿no sería buena idea emprender, desde luego ajustadas a nuestra época y
a nuestras costumbres, versiones de obras anti-
guas que produjeran una impresión semejante?
¿Versiones aparentemente ingenuas aunque, ni
que decirlo, enormemente trabajadas? ¿A un tiempo rigurosas y jugosas? Y si así pudiera ser ¿por
qué no comenzar justamente con el *Apocalipsis*?
Teognis o Marcial no despiertan en la actualidad
gran interés —en realidad ninguno—. Safo tiene
más posibilidades, pero es por razones totalmente
extrapoéticas. En cambio —y sea dicho con todo

respeto—, la Biblia sigue tan campante. Tanto el Nuevo como el Viejo Testamento continúan siendo, por lo menos en el llamado «Occidente», *bestsellers* por excelencia; ni siquiera es menester incluirlos en las listas semanales. El *Apocalipsis*, además, se ve especialmente favorecido por las circunstancias. El fin del mundo y lo del Armageddon están rabiosamente al día. Y en lo que concierne a Grandes Catástrofes, tales como terremotos, erupciones volcánicas, inundaciones, incendios de bosques, tornados, trombas, torbellinos, tifones y huracanes, la *Revelación* de San Juan no tiene por qué envidiarle nada a ninguno de los tabloides más alarmistas. Los supera en todo, incluyendo la inventiva.

¿A quién puede sorprender que, encerrado en este desolado local, sin luz eléctrica, rodeado de cascotes y de vidrios rotos, la calle desierta, el cuerpo pesado y la cabeza liviana, me hubiera agarrado a la idea de un terremoto? El *Apocalipsis*, y otros textos proféticos —incluyendo algunos talmúdicos— están llenos de ellos. Parece que por aquellas regiones y en aquellos tiempos la tierra debía de temblar con frecuencia.

No eran sólo terremotos y otros trastornos telúricos. Eran también plagas y pestes, epidemias, endemias y pandemias. Las langostas, los saltamontes y los sapos invadían los hogares y asolaban los campos. Se comprende por qué el autor del *Apocalipsis* y obras de este tipo se esforzaban tanto por dramatizar esas calamidades. Era porque debían de ser tan comunes y frecuentes que no bastaba simplemente con decir que las había. Si los profetas y los apocalípticos se hubieran limitado a describirlas, los sufridos habitantes se

30

habrían encogido de hombros, mascullando acaso: «Total, más sapos». Los autores de esas obras no tenían más remedio que hinchar el perro y poner en juego toda clase de truculencias: se ennegrecía el Sol, enrojecía la Luna, caían en abundancia las estrellas, por los ríos corría sangre a raudales... Todo ello sazonado de relámpagos, truenos y pedrisco. Y, claro está, acompañado de voces retumbantes anunciando toda suerte de nuevos infortunios. Nada se dejaba al azar: dragones, monstruos hepticéfalos, mujeres con alas de águila echando culebras (probablemente mezcladas con sapos) por la boca. Pero todo tenía su explicación. Que nadie pensara que todo eso ocurría porque sí. Tras innumerables penas, sufrimientos y martirios, los fieles se iban a imponer a los perseguidores y a los infieles. A tal efecto se armaba una escenografía apropiada: una mujer vestida con el Sol (nada menos), la Luna bajo sus pies y en su cabeza una corona de doce estrellas «era prennada e querie parir, e metie uozes e estaua penando de parto», como escribió, con su habitual galanura, el autor de la versión castellana de hacia 1260. No se omitía detalle.

Me parece que estas dos últimas ideas —las penas y sufrimientos de los justos y fieles bajo la férula de los infieles, renegados y desleales; el castigo de éstos y el definitivo triunfo de aquéllos— constituyen el *leit-motiv* de ese impresionante Grand Guignol. Lo que me hace regresar (de nuevo) a nuestro tiempo y, dentro de él, a mi situación de prisionero involuntario en este local miserable.

Las analogías entre «aquellos» tiempos y los nuestros pueden ser aún mayores de lo que hemos venido pensando quienes conocemos ambos bastante bien: Oswald Spengler, José Ferrater Mora y un servidor.

Las profecías de los seudovidentes en los diaruchos y los tonitronantes discursos de los predicadores en la televisión denuncian la codicia, la corrupción, la venalidad, la inmoralidad, el desenfreno, la deshonestidad, la indecencia, la degeneración, el libertinaje, el desenfreno sexual, y muchas otras sedicentes flaquezas, como lo prueban y testifican los sobornos de políticos, las trampas de tratantes sin escrúpulos, el tráfico de estupefacientes, el aumento de los divorcios (léase la disolución de la familia), la clínicas especializadas en abortos, la prostitución, la homosexualidad, la pornografía, el terrorismo, etc. —y habría acaso que agregar la comercialización frenética, aunque de lo último ni pío, probablemente porque muchos denunciantes no tienen en esto la conciencia muy limpia—. Pero ¿no será todo eso un ejercicio retórico? Pues sí, y precisamente uno muy similar al usado en aquellos antiguos tiempos, cuando la virtud y la honra no parecían consistir en comportarse según principios morales, sino sólo en obedecer las reglas y mandatos del «Dios verdadero», o de «los dioses verdaderos» (dependiendo de quienes hablaban). Como en aquel entonces, también ahora sólo parece importar el estar alistado o no en el bando «apropiado». Éste es siempre el del Bien, por la simple razón de que todos los «demás» son los de «la acera de enfrente» o «los de la otra cuerda». Quienes no pertenecen al bando «correcto» son los renegados o los infieles. Y *por eso* son «los malos» ¡qué caramba! Sólo que el mundo (y por suerte) se ha complicado y diversificado. Los apocalípticos de antaño suponían que muchos (la mayoría) estaban al servicio de Satanás y de sus cohortes y que todo terminaría con la destrucción, a sangre y fuego, del «Imperio del Mal». Tras lo cual los buenos serían reivindicados y recompensados (los malos habrían convenientemente dejado de existir). Por eso denunciaban a la «Gran Puta», que al principio fue Babilonia, o Nínive, y que luego fue Roma. Lo que explica, cosa curiosa, que «putear» llegara a significar algo así como «idolatrar» (a los falsos dioses, los de «los otros», claro). ¡Casi, casi lo mismo que hoy! Sólo que en la actualidad han cambiado los nombres. Además, son más de uno, porque (también por fortuna) se imagina que hay una gran variedad de «Putas» —los Estados Unidos, la Unión Soviética, el Irán, Libia, etc.—. Por si no bastaran las diferencias entre las dos épocas, resulta que en la actualidad los humanos, algo más cucos, han aprendido la lección: se denuncia a la Gran Puta de turno, o a la que esté más a mano, pero se sabe perfectamente que es muy útil, al punto que si no existiera habría que inventarla. No sé si me explico.

Hay otras diferencias. Una salta a la vista.

En el curso de mis desvelos por traducir el *Apocalipsis* en la forma antes sugerida, noté a menudo la insistencia de su autor en lo que podrían llamarse «catástrofes naturales». Eran casi siempre terremotos y plagas. O bien se apagaba el Sol, o ardía la Luna, o se desplomaban astros «como higos desprendidos de una higuera», o cambiaban de sitio las cordilleras y las islas, o todas esas cosas a un tiempo. Todo, por decirlo así, muy «cósmico». Los pobres seres humanos, fieles o renegados, no podían hacer mucho para aliviar esas miserias; en rigor, no podían hacer nada: por decirlo así, el universo *se les caía encima*. Las catástrofes se debían, ¿a quién si no? a los idólatras (vulgo, «puteadores»), pero sólo en el sentido de que tenían lugar *por su culpa*; por sí mismos, los desgraciados no eran capaces de cambiar de sitio una montañita. En cambio, hoy se tiene plena conciencia de que los cataclismos que se anuncian para un cercano futuro, aunque tan materiales, naturales y cósmicos como los de los antiguos, son en gran parte obra humana. En lo que toca a guerras, antiguos y modernos estamos, como quien dice, casi a la par. Unos y otros nos las hemos arreglado para que nunca falten. Si no una grande, por lo menos varias chiquiticas. En casi todo somos los dueños y señores de nuestro destino, y del de nuestros tataranietos, y lo hacemos a maravilla para que éstos las pasen negras. Por supuesto, no se me olvida aquello del «por un lado... por otro lado» (al fin y al cabo, soy un helenista), de modo que tengo muy en cuenta lo de las muchas plagas eliminadas gracias al progreso de las ciencias y de las técnicas, y lo del «¿qué haría usted sin anestesia cuando le van a sacar el apéndice?». Pero tampoco se me olvida que con el progreso se han engendrado numerosas calamidades —sí, aquello de «¿cómo puede usted respirar un aire tan mefítico y beber un agua tan pestilente?»—. No son tan espectaculares como las descritas en la literatura apocalíptica, pero son más reales. Sobre todo, van en aumento. Ya hemos avanzado no poco en las artes de la contaminación atmosférica y oceánica. Cada día leo que hay un incremento considerable de zonas desérticas en el globo. Y ¡qué lo de la extinción de especies por pura rapiña! ¡Y lo del agujero de ozono sobre el Antártico! (Y ahora, señoras y señores, también sobre el Ártico) Y lo de, pero... ¿para qué seguir? Lo de los dragones hepticéfalos llegará a su tiempo gracias al constante progreso en ingeniería genética. Hasta nos sentimos bastante orgullosos de estos desastres; recuerdo haber visto, no ha mucho, en una prestigiosa revista neoyorquina, el dibujo de un volcán en erupción. Lo contemplaban con aire de curiosidad dos panzudos turistas mientras por la radio se oía una voz: «Varios grupos extremistas han declarado ya su responsabilidad por esta catástrofe». ¡Exactamente como si se hubiera tratado de un secuestro o de un atentado terrorista!

Aunque mi especialidad son los poetas antiguos, cuanto menores mejor, me gusta hablar de «nuestra época». Lo cual salta a la vista. Prosigo, pues.

Nos estamos ahogando en nuestra propia basura, lo que incluye nuestra cultura. Parece que la relativa paz mundial de que disfrutamos se debe en buena parte a que las superpotencias están asustadas de las posibles consecuencias de un conflicto nuclear. De momento, todo son cumplidos y zalamerías, pero nadie está seguro de que no le llegue el turno a Armageddon y que el día menos pensado el planeta no empiece a arder por los cuatro costados. «Nadie lo quería, pero ya ve usted, alguien, sin darse cuenta, apretó el botoncito. Se equivocó. O se volvió loco.» Tampoco está seguro nadie de que algún día no comiencen a «derretirse» centrales nucleares, en cadena. Un super-Chernobyl. Miles de muertos y heridos, evacuación, tan precipitada como caótica, de las ciudades, nubes de radioactividad paseándose por el globo entero, acaso el ya famoso «invierno nuclear»...

¡Aaaah!

El grito ha sido tan agudo que por un momento he pensado que no podía ser yo: mis pulmones no dan para tanto. Casi he estado a punto de precipitarme hacia la puerta y ver, a través de la aspillera, si alguien pedía socorro.

Pero no, he sido yo.

Y con razón.

He soltado el grito tan pronto como me ha venido la idea de un posible derretimiento de centrales nucleares, acompañada de la imagen de las nubes de radioactividad y de la perspectiva de un invierno nuclear tras la explosión de siquiera un milésimo de las bombas que se guardan en los famosos silos. Lo del invierno nuclear sobre todo ha caldeado mi imaginación —tal vez por la cercanía fonética de las palabras «invierno» e «infierno». Un invierno nuclear debe de ser a la vez un infierno nuclear.

La frase «invierno nuclear» había estado en todas las bocas hace unos años. Luego pasó de moda —como todo, salvo (cuando menos en este país) Elvis Presley y Marilyn Monroe—. Pero unas semanas atrás regresó a las primeras páginas de los diarios y a las «Noticias» urgentes de la radio y la televisión al anunciarse que había habido una alarma —«falsa», como aseguran siempre las autoridades— a propósito del mal funcionamiento de no sé qué dispositivos de seguridad que, por descontado, «no podían fallar», en una, o dos, o acaso eran tres, centrales nucleares a lo largo de Long Island, peligrosamente cerca de donde resido provisionalmente, y hasta demasiado cerca

—para mi gusto, claro— de mi idílico refugio de New Hope.

Y todo esto ha sido como la siempre servicial magdalena de *En busca del tiempo perdido*, que tan bien recuerdo —el recuerdo de lo que hizo posible el recuerdo— por haber leído mil veces, ferviente proustiano que soy, el pasaje pertinente en lugar de citarlo de segunda mano: «Pero en el mismo instante en que el buche con las migajas del pastelillo alcanzó el paladar, me estremecí, atento a lo extraordinario que en mí pasaba. Un placer delicioso me había invadido, aislado, sin noción de causa». Sólo que las ideas y frases que brotaron repentinamente en mi cabeza y engendraron el «¡Aaaah!» no tenían ni el sabor de la magdalena ni me sumergían en un vasto océano de recuerdos. Me remitían simplemente al recuerdo de lo que me había ocurrido antes de caer, dormido, o exhausto, sobre ese sofá de cuero verde.

La incógnita se va despejando.

La resuelve definitivamente un brazalete de plástico arrollado en torno a la muñeca, con la inscripción «General Hospital», una fecha, 18 de marzo de 1992, el número 1540 (piso decimoquinto, habitación 40), y mi nombre completo: «Leopoldo Arroyo Munz». «Míster Munz», como me llamó primero, erróneamente, la funcionaria encargada de computerizarme en el citado General Hospital, o «Leo», como decían, al ver en mi hoja clínica el (para ellas) interminable e impronunciable nombre. Cualquier cosa menos Arroyo, un nombre que no me disgusta del todo, porque me sugiere una visión de aguas claras, cañas frágiles, rumores apagados.

En una palabra: mi casa de Nueva Esperanza.

3

Tampoco me había desagradado del todo que la recepcionista del General Hospital me hubiese llamado «Míster Munz» —y luego, al dar una ojeada a mis documentos de identidad y a la póliza de seguros—, «Profesor Munz». En mis tiempos de estudiante en el Departamento de Clásicas había visto citado en un autorizado repertorio a un tal R. Munz como autor de un concienzudo estudio sobre el geógrafo Estrabón y sobre la importancia que para entender su obra tenía la teoría del lenguaje de Posidonio. Hasta soñé en la posibilidad de un parentesco, siquiera remoto, entre Herr Professor Doktor Munz y mi abuelo, Heinrich Munz, que al final de la Primera Guerra Mundial se trasladó a Puerto Rico, en espera de encontrar allí, o un poco más al Norte —donde confiaba oportunamente domiciliarse—, un empleo mejor remunerado que el de jardinero en su nativa ciudad de Greifswald. A quien encontró fue a una chica morocha y vivaracha, Adelita Gómez, de Santurce. Del encuentro resultaron media docena de isleños, entre ellos la dulce y maternal Lucía, Lucía Munz Gómez, que hace casi medio siglo contrajo nupcias con un apuesto galán de ascendencia aragonesa, Guillermo Arroyo Loreto, lo que explica mi apellido paterno, Arroyo, y mi germánico apellido materno, Munz, que en este país ordenan en sentido inverso, de modo que si algún documento de identidad reza «Leopoldo Arroyo Munz», estoy condenado al Munz sin remedio. Puedo evitarlo insertando un guión entre el Munz y el Arroyo, pero entonces mi nombre resulta aquí todavía más impronunciable. A veces me embarqué en tortuosas disquisiciones sobre la posición del apellido paterno en diversos países y culturas, lo que invariablemente producía bostezos en mis oyentes salvo cuando traía a colación a los chinos o a los vietnamitas y a su costumbre de colocar el patronímico al principio del nombre, en cuyo caso se oían no menos invariablemente exclamaciones de «¡Ah, sí!, ya veo: Mao, Chou, Ho, Xiao» y todo quedaba aclarado. O salvo también cuando, buscando la simpatía de las feministas afirmé (convencido de ello, además) que todo eso de colocar el patronímico antes, en medio o después, es una manifestación más de machismo y que no hay razón para no dar precedencia al *matronímico*. De hacerse así, terminaba, yo me llamaría Munz y con esto habría resuelto todos los problemas apelativos que se suscitan en estos Estados. Pero como por acá, y no digamos en el resto del planeta, persiste el machismo, tengo razones más que suficientes para haber decidido a menudo, cuando menos al reservar mesa en restoranes o al llenar formularios para las tarjetas de crédito, eliminar el Munz y quedarme con el Arroyo, o simplemente no preocuparme en lo más mínimo de si me llaman Míster Arroyo o Míster Munz o Míster Arroyo-Munz.

Abrigué la idea de que pudiera haber habido un parentesco entre los Munz del mundo en mi época de estudiante de latín y griego porque me seducía la posibilidad de que pudiera haber existido por lo menos un Munz que se había distinguido en los estudios clásicos, y también porque me habían producido gran impresión las caudalosas aportaciones de autores alemanes a estos estudios —si más no, hasta el momento en que, con la excusa de limpiar la raza, los nazis hicieran retroceder la lengua y la cultura alemanas con tal éxito que tardará siglos en recuperarse, si es que jamás lo consigue—. Yo, en todo caso, como todos los que contra viento y marea llevamos en alto la antorcha continuadora de la rápidamente declinante tradición grecolatina, sigo reconociendo a los alemanes por su inmensa (y todavía un poco atosigante) producción bibliográfica. Esto, desde luego, no da pie para mí (ya esfumada esperanza) de que mi abuelo, Heinrich Munz, hubiera podido ser pariente, siquiera remoto, del Munz especializado en Estrabón y Posidonio. Sabiendo, además, que mi abuelo había sido jardinero, no habría sido razonable atribuirle ningún conocimiento de las lenguas y literaturas clásicas —aun teniendo en cuenta que, como se ha dicho (¡pero se dicen tantas cosas descabelladas e inciertas!), que en Alemania, cuando menos en el siglo XIX, los soldados transportaban a Platón y a Tucídides, ¡y en griego! en sus mochilas—. En todo caso, la mera idea de un posible parentesco entre un humilde jardinero y un respetado Herr Doktor Professor favoreció por un tiempo mis simpatías culturales teutónicas y, con ellas, una cierta tendencia a la morosidad y al detalle que explica mi devoción por Proust, que, si bien francés hasta las cachas, desplegaba a menudo una *Gründlichkeit* que los Herr Munz del orbe entero habrían celebrado como casi patriótica. La misma *Gründlichkeit*, dicho sea de paso, que parece en ocasiones cebarse sobre mis escritos y mis apuntes, atestados de incisos y circunloquios, y de la que mucho me temo estoy ahora mismo haciendo gala al hablar, aunque sea para mí mismo, de Herr Professor Doktor Munz, de uno de mis abuelos, el jardinero Heinrich Munz, y hasta de mi abuelita, Adelita Gómez, de Santurce, que por lo que se decía de ella, y por algunas cartitas que cayeron en mis manos, debía de haber sido un cohete.

El brazalete de plástico con el rótulo «General Hospital» (sí, el mismo nombre que el título del interminable serial en la tele) y mi nombre completo, «Leopoldo Arroyo Munz», en tinta azul sobre el brazalete, es prueba fehaciente de que mis médicos me habían internado en ese hospital, con preferencia al muy cercano y ya establecido de St. Vincent's. De acuerdo con estos datos, y puesto que en estos momentos no estoy allá, deben de haberme ya intervenido. Pero, al revés de lo que sucede tras una operación un poco delicada, no me duele absolutamente nada. No guardo tampoco memoria de ningún período posoperatorio, y no veo, además, por qué estoy tendido ahora sobre este sillón de cuero verde del Bar RPPR. Se necesita una explicación más convincente de mi presencia en este «Saloncito íntimo» y con un brazalete identificador arrollado en la muñeca.

El sofá... tendido... Pero ¡claro, claro, claro...!

De repente recuerdo, y muy vívidamente por cierto, que estaba postrado en una de esas camillas de ruedas que sirven para trasladar a los operandos de sus cuartos al quirófano —y doy a este nombre su recto y estricto significado de «departamento de algunos hospitales dispuesto de manera que las operaciones puedan verse sin hallarse en la misma sala», porque sospecho que todo lo que allí ocurría era observado detrás de algún espejo-cristal por aprendices de carnicero—. Ya cerca del gran foco que proyectaba sobre el centro de la sala una luz cegadora, cuatro fornidos brazos me mudaron a la mesa de operaciones. Lo primero que me llamó la atención fueron varias correas destinadas a amarrar el paciente, «para su propia seguridad», no fuera a desplazarse un solo milímetro durante «los momentos críticos». La operación, se apresuraron a asegurarme, es «un juego de niños», pero «de todos modos, hay que tener mucho cuidado».

Se trataba de una gastrotomía. Pocos días antes había sido objeto de una minuciosa endoscopia, a la que siguió una colonoscopia. En el curso de estas exploraciones íntimas el especialista de turno descubrió, y procedió a extirpar de inmediato, una excrecencia, vulgarmente llamada «pólipo», de regular tamaño —«tamaño natural», como decía a veces Juan Cosa de algo cuando quería dar a entender que era voluminoso—. La subsecuente biopsia había revelado la presencia de un tumor canceroso semibenigno, que es como decir semimaligno. De haberse confinado al «casquete», «sombrero» o «copa», que de estos tres modos oí que lo llamaban, la decisión habría sido fácil: eliminado el intruso, quedaba alejado el peligro. De haber realmente afectado a la base, cabía preguntarse si realmente merecía la pena una intervención quirúrgica, porque en el mejor de los casos sólo quedaba la quimioterapia o la bioterapia y en el peor de ellos (para mí por lo menos) el encomendarme al Hado. Habría sido el momento, siempre pospuesto, de llamar por teléfono a mi hermano Francisco, que trabaja en una fábrica de ron (Puerto Rico Ron Company) de Camuy, o a mi hermana Raquel, que vive en Ginebra desde que se agenció un vago empleo en la Organización Mundial de la Salud. Tal vez habría sido inclusive el momento de ponerme en relación con mi ex-esposa, Mrs. Laura Kirk, *née* Galindo, que ocupa actualmente, es de suponer que con su nuevo esposo, un apartamento muy chic en el fondo de una de las varias galerías de Worth Avenue, en Palm Beach, Florida. Tras nuestro divorcio por consentimiento mutuo, hace casi tres lustros, había yo mantenido con Mrs. Kirk, antes Laurita, relaciones vagas y distantes, pero mi ex-cónyuge había tenido la gentileza (no sé quién le habría pasado el notición) de enviarme una tarjeta postal pidiéndome le informara —lo que no dejaba de ser un poco de mal agüero— «si me ocurría algo grave».

Bueno: no era tan grave.

El tumor canceroso no estaba ni en la copa ni en la base de lo que llamaban «pólipo», pero tenía desde luego un aspecto, de repugnante celentéreo. Se había plantado a medio camino, es decir, en el «tronco». Imposible determinar «en el estado actual de los conocimientos», informaron los especialistas, si había afectado o no al resto del organismo y, por lo pronto, al intestino grueso. Se me aseguró que «dentro de unos años» estas cuestiones se podrían resolver fácilmente —y aquí vino una larga disertación sobre los acelerados progresos que se estaban llevando a cabo en el sector de la MRI o «producción de imágenes a base de resonancias magnéticas» no menos que en el del TXR o «rayos equis tridimensionales», por no hablar de la LS o «cirugía con rayos láser», «cirugía sin bisturí» y otros pasmosos avances (*breakthroughs*). «Por desgracia», se me advirtió, «por el momento»...

«Por el momento», ¿qué?

Pues «por el momento» no había más remedio que hacer frente a un dilema: o dejar las cosas como estaban, esperando que el tumor se hubiese desparramado, o asegurarse contra la posibilidad de un «proceso irreversible» mediante la resección de «un tramo prudencial», de «veinte a treinta centímetros, digamos», del colon. ¿Qué hacer, pues? Desde luego, puso de relieve mi gastroenterólogo, el doctor Michael Roach, la decisión estaba enteramente en *mis* manos. «Al fin y al cabo, se trata de *su* cuerpo.» Su cuerpo, es decir, el *mío*. De modo que de mí dependía todo. «Pero si usted quiere saber mi opinión sincera, —siguió diciendo—, la cosa es muy simple». Y, mirándome fijamente a los ojos, como si fuese un hipnotizador, terminó con estas palabras: «¡Operar, operar! ¡Cuanto antes! ¡Cuanto antes!». Para dar la impresión de neutralidad, y de acuerdo con las más modernas normas del «consentimiento informado», advirtió acto seguido que mi colon *podía* no haber sido afectado por el tumor canceroso —o «proliferación celular», como algo más caritativamente lo llamó también—, de modo que la decisión dependía enteramente de mí. Pero, pero, doctor, por favor... ¿Quiere decir con esto que sería prudente, y hasta urgente, practicar una intervención quirúrgica que más tarde podría resultar *haber sido completamente inútil*? ¿Es necesaria una operación para concluir que *no había sido necesaria*?

El doctor lo pensó unos momentos; al fin y al cabo, lo que yo preguntaba tenía un aire eminentemente razonable. *That boggles the mind*, contestó, levantando los brazos y clavando su mirada al techo. Pero cuando los volvió sobre mí repitió su previa «recomendación»: «¡Operar, operar! ¡Cuanto antes, cuanto antes!»

Esto explica mi presencia en una de las salas de operaciones del General Hospital.

Por cierto que el doctor Roach se sorprendió no poco de que, sin ser yo médico, comprendiera bastante bien el significado de algunos de los vocablos técnicos que me había disparado antes y después de la colonoscopia. No había de qué. Es la ventaja de que gozamos quienes estamos familiarizados con el griego clásico. Podemos no tener gran conocimiento de las ciencias y de la medicina, pero sabemos siempre, mejor o peor, de qué hablan esos chamanes. En este caso el doctor hablaba obviamente del intestino grueso (*kólon*), y me comunicaba que había descubierto mi dolencia por haberla observado durante una biopsia (*bíos*, vida, etc.). Y mantenía que había que proceder con suma urgencia a un corte o ablación (*tomé*).

¡Tan sencillo como *Guten morgen*!

Poco a poco lo voy recordando todo. El traslado en la camilla rodante, los brazos fornidos que me depositaron en la mesa de operaciones, la inyección con un calmante antes de salir de la habitación 1540, las palabras del anestesiólogo explicando la naturaleza y uso de los pinchazos. Por cierto que tales explicaciones resultaban superfetatorias, porque aunque era mi primera operación importante, no carecía totalmente de experiencia hospitalaria. En los últimos años había sido objeto de media docena de «fulguraciones» de un persistente tumor en la vejiga, asimismo declarado semibenigno o, una vez más, semimaligno. Por si fuera poco, once meses atrás había sufrido una «resección transuretral de la próstata» o PTR —según rezaba la factura médica—. Estaba, pues (relativamente), habituado al ceremonial que precede a las anestesias totales, las que, de todos modos, siempre me sorprendían por tan súbitas y tan totales. A decir verdad, empezaban a gustarme... En primer lugar, me seducía esa grata sensación de relativa modorra en que me sumía la inyección intravenosa preparatoria. Luego, me divertía oír, cada vez más distantes, retazos de la conversación de los doctores, ayudantes y enfermeras —«Figúrate que Johnny se quedó completamente dormido en la playa, con un vaso de doble vodka sobre la barriga», «Johnny es un poco cretino, pero no le digas que lo dije», «A mí no me gusta nada ese sistema de cabinas de Ocean City, a casi media milla del paseo marítimo. Casi me aso las plantas de los pies para llegar a la playa», «¿Cuánto es?», «15 sobre 8», «Normal», «¡Qué mierda!», «¿Qué pasa?», «La aguja no marca», «Estará rota la punta», «Es igual, de todos modos el tipo respira» (el tipo era yo)—. Mientras estaba oyendo estos, y otros similares, comentarios miraba de reojo los numerosos aparatos que me circundaban, no sin sospechar que contribuirían no poco a elevar el precio de la intervención quirúrgica. Finalmente, me intrigaba lo que me pasaba (o, más bien, no me pasaba) cuando me decían «Cuente, a partir de uno». Nunca llegué a tres.

Esa vez me llamó especialmente la atención una pantallita que, por lo que le oí decir al cirujano, era el último grito de la tecnología médica. Entendí que se trataba de un nuevo modelo de *scanner*. Digo *scanner* porque no sé aún cómo lo llaman en español, aunque sospecho que *scanner* —o «escáner»—. Es una lástima que no se haga ningún esfuerzo por enriquecer el vocabulario tecnológico español y que no se acuda para ello a las fuentes adecuadas. Que en este caso, mira por dónde, somos nosotros, los especialistas en poesía. Tenemos un nombre perfecto para *scanner* —no, no, nada de «escudriñador» o «registrador», sino «escandidor», como cuando se escanden (o miden) los versos—. Pero nadie nos va a hacer caso, qué pena. Lo seguirán llamando *scanner*. Siendo el último modelo («¡Casi un prototipo!», exclamó con admiración uno de los ayudantes), no sólo permitía seguir en la pantalla los latidos del corazón, sino que los simulaba en tres dimensiones y en color («¡Una maravilla!», se le escapó a una de las enfermeras). Un *scanner* o escandidor del corazón, pero lo cierto es que lo que así se llama parecía en la pantalla una piltrafa sanguinolenta desplazándose sobre un fondo ocre. A lo más que se asemejaba la repugnante masa era a las entrañas de algún pobre bicho degollado y destripado para goce de carnívoros (yo, por fortuna, soy un vegetariano furioso y si por mí fuera no se degollaría ni destriparía ninguna criatura inocente). Por unos momentos pensé que los poetas de antaño —o los autores de cancioncillas populares de hogaño— tienen suerte de no haber presenciado ese deprimente espectáculo. De ser así, me temo que sus versos y letrillas habrían sufrido amputaciones considerables. A nadie en su cabal juicio se le ocurriría hablar de las penas que el amado (o la amada) sienten en el corazón a causa de los desdenes de la amada (o del amado). Nadie se atrevería a afirmar que el amado (o la amada) tienen un corazón de piedra (para decir que son crueles y desdeñosos), o de oro (para asegurar que son bondadosos), o de cristal (para mantener que son sinceros) y menos aún (¡extrañísima idea!) que pueden oírse, como decía una cancioncilla de los años treinta, «campanas de fiesta que cantan en el corazón».

Pero quizás me estaba tomando todo eso demasiado en serio. El corazón no tiene la culpa de parecer tan repulsivo en la pantalla de un hospital. Y cuando en las letras de muchas canciones se habla del corazón, se entiende muy otra cosa. No sólo de pan, sino también de metáforas, vive el hombre.

En todo caso, el cirujano parecía enormemente interesado en las convulsiones de esa víscera sobre el cuadrilátero ocre. Mis remilgos holgaban. Y, después de todo, si la cosa me repugnaba tanto, lo mejor habría sido abstenerse de mirar. O fijarme en otra pantalla. Había una en la que se veían brincar innumerables puntitos luminosos. Curioso. Lo malo era que aunque hubiera apartado los ojos del fatídico cardio-scanner, habría sabido que seguía allí. Los ruidos que emitía mi modesto órgano en la cavidad del pecho parecían tan atronadores que tenía la impresión de estar en una de esas fábricas de tejidos de comienzos de siglo, con innumerables poleas y correas.

Recuerdo que en mi estado de semiletargo cerré los párpados. Durante un rato traté de sumergirme (¡yo, todo un helenista!) en las delicias del Nirvana. Estaba esperando el momento en que el anestesiólogo soltara su rollo. Me lo sabía de memoria: que no me preocupara si sentía una punzada en el brazo y un calor como de fuego («más bien agradable, ya verá, algo así como después de un doble whisky»), que luego... pues luego, nada, hasta que me despertara en el «Recovery Room», donde estarían mis parientes y amigos, y aunque no hubiera nadie, tampoco importaba gran cosa, porque, pensándolo bien, Míster Arroyo, en estos casos lo mejor es estar solo y tranquilo, sobre todo en este hospital, donde las enfermeras cuidan de los pacientes mejor de lo que podrían hacer todos los parientes y amigos juntos; como madres, etcétera.

Con todo eso proseguían los preparativos. Hasta tenía la impresión de que ya había percibido la punzada y empezaba a sentir el «grato calor» anunciado. Hasta creí experimentar, por primera vez, lo que en varias ocasiones había tratado infructuosamente de percibir: la gradual y desconcertante pérdida de la conciencia de sí mismo.

En vez de esto sentí, como dicen los anuncios en la tele, «algo completamente diferente»: el súbito cese de todos los zumbidos, pitidos, susurros y ronroneos de los artefactos hospitalarios circundantes.

No era la pérdida de conciencia, sino la reafirmación de una verdad que se ha confirmado muchas veces aunque sorprende siempre: lo que mejor se oye es el silencio.

El cual duró muy poco, porque tras unos mugidos casi imperceptibles estallaron exclamaciones e interjecciones, gritos, chillidos, y hasta algunas blasfemias, amén de palabras que antaño habrían sonado bastante mal, pero que hoy son casi obligatorias. Palabras como «mierda» y «joder», quiero decir. Entorné los párpados para averiguar qué pasaba, pero no vi nada: todo estaba sumido en una oscuridad tupida.

¿Por qué tan espantoso griterío? Era evidente que se había producido un corte de luz, lo que siempre es irritante, aunque sospecho que no debía de ser la primera vez que esto pasaba. Ni sería probablemente la última. La gente debería de empezar a acostumbrarse a los apagones.

Pero ¿en un hospital y en una sala de operaciones? Si en algún lugar se toman medidas contra la posibilidad de estos percances es en hospitales y clínicas; tan pronto como la luz eléctrica falla se tiene la seguridad de que los generadores del local se van a poner a funcionar automáticamente.

¿O es que las dínamos estaban también averiadas? Esto habría sido más exasperante. Póngase cualquiera en el lugar del cirujano, bisturí en mano y a punto de practicar una operación delicada. O simplemente en el sitio de los ayudantes y de las enfermeras, en torno al operando y vigilando su pulso, presión sanguínea, respiración, latidos del corazón, etc. Puede disculparse alguna que otra palabrota.

Personalmente, nada de eso me alarmaba, y hasta empezaba a divertirme. Lo peor que podía ocurrirme, y no era tampoco ninguna catástrofe, era que pospusieran la operación por unas horas, o inclusive hasta el día siguiente, y me reexpidieran a la habitación 1540. O que el apagón durara poco y mi estadía en la sala de operaciones se prolongara un poco más de la cuenta. Con otro calmante se solucionaría todo. Como tenía las manos libres, pensé que sería cortés de mi parte hacer un gesto para dar a entender que por mí no se preocuparan. Hasta lo inicié, pero enseguida me di cuenta de que en esa oscuridad no lo habría visto nadie. Traté entonces de comunicarme verbalmente. Por desdicha, debía de haberse producido también una especie de avería en mi garganta, porque aunque moví los labios no alcancé a articular palabra.

La verdad es que aunque hubiese podido, no habría servido para mucho. Con el guirigay que se armó, nadie me habría oído.

Todo el mundo parecía correr, atontada y atolondradamente, de un lugar a otro. Daba la impresión de que nadie sabía lo que estaba haciendo ni el porqué. Oía que se descolgaban (vanamente) teléfonos, que se abrían y cerraban con gran estrépito armarios y puertas. Debía de circular mucha gente por los pasillos y, a juzgar por los gritos y blasfemias, debían de patearse y pisotearse mutuamente. Lo primero que me vino al magín fue que alguien había advertido que se había declarado un incendio, y que esto no se hizo en la forma ordenada y tranquila que se recomienda en estas circunstancias, sino con algún frenético «¡Fuego! ¡Fuego!». O que alguien había transmitido la noticia, que habría corrido tan de súbito como el proverbial reguero de pólvora, de que las llamas habían devorado ya los primeros pisos y estaban ascendiendo vorazmente, amenazando con tragarse el edificio entero, con sus treinta y cinco plantas y su anuncio luminoso, *G. H. At Your Service* sobre el tejado. En todo caso, se había producido un bullicio increíble. A despecho de lo que cree casi todo el mundo que ha visto, fuera y dentro de los hospitales, los numerosos letreros que recomiendan silencio, esas instituciones no son las más tranquilas del planeta. Desde luego, nada parecido a mi sosegado rincón de New Hope. Cuando no son las enfermeras que se llaman una a otra a voz en grito, o los ordenanzas que limpian el suelo con sus pesados y ruidosos aspiradores, o las insistentes llamadas por los altavoces al doctor Tal o al doctor Cual, o el parloteo de los visitantes, es algo (para mí) aún peor: los innumerables aparatos de televisión, en los cuartos de los pacientes y en los corredores y salas de espera, vomitando sin parar anuncios, noticias, seriales, aullidos roqueros y salseros. Pero la batahola que se había armado superaba con mucho la usual vocinglería. El ruido llegó a hacerse inaguantable cuando —¿se habrían puesto, por fin, los generadores en marcha?— sonaron timbres mezclados con los largos y lastimeros aullidos de las sirenas. Imposibilitado de articular palabra para preguntar a qué se debía el horrísono fragor, decidí continuar tendido en la mesa. Ya amainaría la baraúnda.

Y así fue. La calma se restableció tan súbita e inesperadamente como se había producido el barullo. Ahora no sólo reinaba la oscuridad, sino también el silencio. No parecía un hospital.

¿Habría sido un sueño? ¿Una alucinación producida por una sobredosis de barbitúricos? ¿El hipnótico efecto del anestesiólogo disertando sobre la naturaleza, virtudes y efectos de la anestesia?

Dudoso. Aparte el general aletargamiento del cuerpo y la afonía, me sentía completamente alerta.

Creía que no quedaba ya nadie en la sala de operaciones y traté de incorporarme. Pero alguien se adelantó a mi propósito, porque una mano suave y temblorosa empezó a sacudirme por un hombro al tiempo que me cegaba la luz de una lámpara de mano tan potente como esas que se ven en las películas de mineros. «*The nukes! The nukes!*» oí clamar a una voz enfermeril y femenina. A la luz de la lámpara vi unos ojos despavoridos y unos labios ansiosos que articulaban mi nombre (o uno de ellos). «¡Míster Munz!». «¡Míster Munz!» Sin aguardar a mi respuesta, la poseedora de la voz procedió a liberarme de los múltiples aparatos que temporalmente me sujetaban. Lo hizo con tal premura y nerviosismo que no habiendo logrado de buenas a primeras desenroscar uno de los tubos del balón de oxígeno, la emprendió a tijeretazos. A los pocos segundos quedé libre de cordones y catéteres. Conmovido por la solicitud de mi libertadora, iba a darle profusamente las gracias —y a aprovechar la ocasión para informar, por enésima vez, que mi nombre era «Arroyo» y no «Munz», pero que «podía llamarme Leopoldo». «O Leo, ¡qué caramba!»— No tuve tiempo de hacer ninguna de las dos cosas —ni tampoco, dada mi repentina afonía, lo habría conseguido—: otra persona, menos caritativa para con los pacientes, agarró a mi protectora por el brazo y la arrastró consigo, supongo que hacia la puerta, al tiempo que gritaba, o más bien ululaba: «*Out! Quick! Out! Quick!*», tras lo cual se hizo de nuevo el silencio y allí me quedé, solo en la sala de operaciones de un hospital de Manhattan, sin luz eléctrica y sin enfermeras, anestesiólogos o cirujanos.

Estoy seguro de que esto no le ha pasado nunca a nadie.

Una de las ventajas de dedicarse a las literaturas clásicas, es que, sea la que fuere la situación en que uno se encuentre, siempre salta a la memoria una cita apropiada. En estas circunstancias mis poetas preferidos no sirven para mucho, pero los grandes trágicos griegos vienen como anillo al dedo. Pienso en Sófocles, que en *Antígona* pone en boca del Corifeo estas sibilinas palabras: «No sé, pero un silencio profundo me parece tan amenazador como los grandes gritos inútiles». ¡Como si el gran escritor hubiera estado en mi lugar, en un hospital neoyorquino! Esos trágicos eran unos adivinos. «Los hechos vendrán solos», proclama Tiresias en *Edipo, Rey*. Esto es más común, pero en esta ocasión no dejaba de dar en el clavo: los hechos venían, en efecto, solos y nadie parecía ordenarlos. A menos que fuera de contexto las frases de ese tipo sean tan vagas que a fuerza de no decir nada en particular puedan querer decir cualquier cosa. Lo único que no se encuentra en los trágicos es nada que tenga la más remota semejanza con *the nukes! the nukes!* y es una lástima porque de haber sido así les habrían podido sacar gran partido.

La palabra *nukes* no figura, en efecto, en la literatura clásica. Pero el estado de ánimo de la individua que agarró a la enfermera por el brazo e impidió que siguiera atendiéndome, es clasicísimo. Pavor, terror, espanto; en suma: pánico. ¡Como si procediera en línea recta del Gran Dios Pan! Pero mientras los terrores pánicos solían ser engendrados por misteriosos ruidos en la espesura de una selva o por sobrecogedores sonidos en la soledad de algún valle, y tenían un carácter ambiguo, inescrutable, misterioso y poético, el pavor que puede suscitar la palabra *nukes*, cuando se la suelta en medio de chillidos, no tiene mucho de misterioso, inescrutable o ambiguo. En todo caso, nada de poético.

Así pues, eso era. Algo nuclear. Explosivo, destructivo, mortífero. Apocalíptico. A lo mejor iba a ser cierto aquello de que «fue grand terremoto, e tornos el sol negro assi cuemo panno [como si fuera arpillera] de cilicio, e la luna tornos toda assi cuemo sangre, e cayeron estrellas de cielo a tierra, assi cuemo la figuera dexa caer sos figos quando la mueue grand viento».

# 4

A veces tengo la impresión de que me asemejo a Don Quijote, porque por chalado que a ratos esté, sigo razonando bastante bien sobre muchas materias, incluyendo algunas harto delirantes. A veces se me antoja que me parezco a Fausto, porque aunque me gusta saber muchas cosas, no sé realmente qué hacer después, salvo enzarzarme en tediosas meditaciones.

Debe de ser esa aleación de sangre latina y germánica que corre por mis venas.

Considerando el revoltijo que se armó a mi alrededor, y el pánico que se apoderó de mi caritativa enfermera, lo prudente era buscar el refugio más próximo. En vez de esto, empecé a perder el tiempo dándole vueltas al extraño incidente.

En un prospecto falazmente titulado «The General Hospital Greets You» se informaba de que el edificio tenía, además de sus treinta y cinco plantas sobre el suelo, otras cinco subterráneas. Dos, probablemente las más subyacentes, estaban destinadas a «Refugio en casos de urgencia». Todo concurría, pues, a no demorar cobijarse en ellas. Si se trataba de una posible explosión nuclear (*The nukes! The nukes!*) había que suponer que era inminente. Ajenos o propios (no hay que descartar posibles fallos en nuestro sistema de defensa), los misiles no se hacen esperar mucho. Si se trataba del «derretimiento» de alguna planta nuclear más o menos cercana, podía aguardarse algo más, pero no demasiado. Los vientos se encargaban de transportar velozmente toda clase de mortíferas nubes.

Por supuesto que los sótanos no ofrecen completa garantía para esos casos extremos. Pero el sano instinto humano tiende a buscar algún lugar lo más alejado posible de cualquier Gran Catástrofe. En el caso de los llamados, más o menos cínicamente, «accidentes nucleares», no sólo hay que distanciarse del «percance» horizontalmente, sino también, y sobre todo, verticalmente. Cuanto más abajo, mejor.

Curioso que hayamos terminado por buscar refugio en el subsuelo.

Nuestros antepasados inventaron muchos, y muy diversos, infiernos, que bautizaron con una infinidad de nombres. No puedo evitar que los más conocidos acudan a mi infalible memoria: Tártaro, Averno, Orco, Hades, Guehena, Jajanam, Bumis, etc. Algunos fueron localizados en parajes harto singulares; recuerdo haber leído que una tribu de amerindios situó el infierno (para ellos, el «más allá») en las nubes. No era mala idea porque las nubes se caracterizan por la tendencia a esparcirse y a disolverse, fenómenos que en el más allá deben de ser comunes. Un autor inglés de comienzos del siglo XVIII, probablemente un ferviente «religionario», insistió en que el infierno está ubicado en el Sol, y adujo al efecto dos sólidas razones: una, que la elevadísima temperatura que reina en este astro es adecuadísima para engendrar tormentos espantosos; otra, que hay en esa llameante esfera espacio suficiente para los miles de millones de almas tan justamente condenadas al fuego eterno. Algunos de mis griegos imaginaron una isla remota —idea muy a propósito para satisfacer a misántropos y a misóginos—. Pero, griegos o no griegos, lo común fue reservar para sede del infierno una porción del subsuelo o alguna fosa, depresión o piélago suficientemente hondos. ¡Abajo, siempre abajo! Cuanto más abajo, más auténticamente infernal. Los círculos dantescos se distinguían entre sí no sólo por los tipos de pecados que en cada uno se castigaban y por las clases de torturas que se infligían a sus huéspedes, sino también por las diversas profundidades en que estaba situado cada uno. El Círculo Último, perennemente envuelto en nieblas y sombras,

*Come quando una grossa nebbia spira,*
*o quando l'emisperio nostro annotta,*

(¡qué memorión el mío!), yacía muy abajo, muy adentro de la tierra, acaso en su mismo centro. ¡Como que servía de morada al «Emperador del doloroso reino»! Una vez alcanzada esa sima había que ascender mucho para salir de nuevo a la luz del día. Sortear innumerables riscos y abismos para *riveder le stelle.*

Hoy, en cambio, se cavan profundidades y se pone mucha tierra por medio, pero más bien para

58

sentirse seguro contra toda clase de ingentes cataclismos. Una cueva natural bien oculta dentro de una montaña rocosa resulta muy apropiada. Pero como tales cuevas no abundan o no se encuentran fácilmente, hay que excavar muy hondo con el fin de producir esos sólidos refugios casi impenetrables destinados a proteger, en ciertos casos bien conocidos, a Gobiernos y a Estados Mayores. ¿Quién iba a pensar que las cosas podrían terminar así? ¿Que el cielo podría convertirse en infierno y el Averno en cielo?

Lo único que no cambia en la historia humana es que ésta cambia.

¡Excelente idea, mi querido Arroyo! Digna de un Herr Doktor Professor Munz.

Un tal D. P. Walker, que debía de ser también, lo mismo que R. Hodgkin (el ya recordado biógrafo y panegirista de Claudius Claudianus), un reverendo, escribió un libro, atiborrado de citas y notas al pie, sobre la decadencia del infierno. Para explicar su idea, el autor acumuló todos los clichés de su época: la secularización, la pérdida de la fe, la disolución de la familia, el libertinaje y, por descontado, el racionalismo. Pero la verdad es que el infierno no ha desaparecido por completo. Sólo que ha adoptado nuevas formas. Una de las recientes (en modo alguno, la única), la nuclear. Un infierno nuclear capaz de transformarse en un invierno nuclear.

Todo esto, y posiblemente otras cosas que ahora se me escapan, estaba yo rumiando mientras seguía tendido, boca arriba, sobre la mesa de operaciones, vaya disparate.

Era obvio que mi imprudencia, imprevisión e improvidencia habían llegado a un extremo. Merecía que mientras le estaba dando tantas vueltas al cielo y al infierno (o, más bien, a sus respectivas ideas) explotara no una cabeza nuclear, sino más bien la propia.

Seguro que entre el enloquecimiento de casi todos los circunstantes y mi increíble pasividad había un justo medio. La enfermerita que (sigo confiando) había tratado de salvarme y que, en todo caso, había conseguido desembarazarme de cánulas y sondas, había ofrecido un admirable ejemplo de lo que toda persona razonable haría en circunstancias parecidas. Pero no le permitieron llevar a cabo sus loables propósitos, de modo que todo terminó como me lo estoy describiendo: unos, arrastrados por el pánico; yo, meditando sobre la palabra 'pánico'. ¡Que los dioses del Olimpo me lo tengan en cuenta!

Lo que, como se verá, hicieron. Alguna ventaja tiene el ser un ferviente helenista.

En todo caso, alguien debía de velar por mí porque tan pronto como terminé de incorporarme, volvieron a prenderse las luces.

Me vino inmediatamente la idea —sí, queridos amigos y colegas, lo habéis adivinado— de que este dichoso acontecimiento se debía al tándem grecorromano Zeus-Júpiter, portadores de luz, si no a la pareja Hefesto-Vulcano, con la consabida fragua y las inevitables chispas, o acaso a Prometeo, todavía cargando con el fuego que le robó al Olimpo. Pero el sentido común se sobrepuso pronto a mis propensiones mitológicas para sugerir la más modesta hipótesis de que, gracias a los generadores, se había restablecido la corriente eléctrica.

Tambaleando me acerqué a un ropero abierto donde colgaban varios batines blancos y me agencié uno que se ajustaba bastante bien a mis medidas y que, a juzgar por las letras azules primorosamente bordadas sobre el pecho izquierdo, pertenecía a un tal doctor Frederick Bonner. Deslicé mis pies en un par de zapatillas providenciales. Arrollé al cuello una no menos providencial bufanda de lanilla blanca. De este modo, pensé, estaría algo más presentable que en mi patético uniforme de operando.

¡Como si en semejantes momentos nadie fuera a reparar en esas minucias!

Envuelto en el batín del doctor Bonner —que todavía me cubre; tendré pronto que buscar otro atuendo más en consonancia con la situación—, embufandado y zapatilleado, salí al corredor, que ahora estaba iluminado brillantemente, y eché una primera ojeada al entorno.

Un espectáculo inenarrable que, como es sabido, son los únicos que suelen narrarse.

Cuando, tendido sobre la camilla rodante, me trasladaban del cuarto del hospital a la sala de operaciones, me había llamado la atención la pulcritud extrema de corredores y pasillos. Todo blanco, liso, pulido. Todo simple, ordenado, sobrio. Ni una sola mancha en las paredes o en el techo. Ni una mota de polvo. Salvo alguna que otra mesita con jeringas y frasquitos por lo demás limpísimos, nada, ni siquiera un mueble, obstruía esos asépticos parajes. Uno tenía la impresión de que había que andar de puntillas.

Nadie andaba ahora por ahí, ni de puntillas ni de ninguna otra manera. Ni el aspecto del corredor al que me asomé invitaba a tomar semejantes precauciones. Las huellas que habían dejado las recientes trombas humanas habían alterado la atmósfera por completo.

Lo que había sido arquetipo del Orden era ahora un alucinante Caos.

Una camilla semejante a la que sirvió para trasladarme a la sala de operaciones yacía cabeza para abajo, cubierta de trapos sucios y de manchas sanguinolentas. En torno a la camilla, varios tubitos de cristal quebrados. Sobre el piso, hasta donde alcanzaba la vista, prendas de vestir de toda clase, color, tamaño y sexo, algunas descaradamente íntimas y casi todas manchadas o desgarradas. De trecho en trecho, gafas hechas trizas. Un número indeterminable de estetoscopios, oftalmoscopios, laringoscopios y otoscopios, amén de varios escalpelos y bisturís. Vendas, gasas y esparadrapos se conglomeraban con termómetros y jeringas hipodérmicas. Una porción del larguísimo y lustrosísimo pasamanos de latón dorado a la altura del codo estaba empotrada en la pared, que ostentaba, además, varias recientes grietas por las que se insinuaban yesos y cables. Un teléfono celular portátil del último modelo yacía en pedazos por el suelo. Abundaban las sábanas, las almohadas, las toallas, los camisones, los suéters, las bufandas, las corbatas, los guantes, los cinturones, los zapatos...

Como un zoco, con perdón sea dicho de esos interesantes lugares.

Cuando una multitud es presa de pavor y echa a correr alocadamente para huir de un peligro real o imaginario es comprensible que impere el desorden. Pero esto no era mero desorden: era un completo desbarajuste. Uno se preguntaba si no había habido, como ha ocurrido a menudo al producirse el pánico en teatros o estadios, heridos por pisoteos y hasta muertos por asfixia. Por el momento no se veía a ninguna víctima yacente; de haberla habido, habría sido arrastrada seguramente por la corriente. Pero con bultos humanos yacentes o sin ellos, el desorden era mayor de lo que cabía esperar aun en estos casos. Era, en realidad, tan extremado que casi parecía resultado de una cuidadosa *mise-en-scène* para un espectáculo roquero con muchos humos y cabriolas. Sólo faltaban los graffiti.

Debía de haber tenido lugar una verdadera batalla campal. Confirmación de que cuando a los seres humanos se les rasca un poco la pintura les salen todos los granos y asperezas. Prueba de que Hobbes no andaba desencaminado al afirmar que «el hombre es un lobo para el hombre» (me gusta más, naturalmente, la frase latina, *Homo hominis lupus*), aunque era una lástima que para ello hubiese tenido que difamar a los lobos. Si la memoria no me es infiel, algo parecido había dicho el florentino Marsilio Ficino a su amigo, Jacopo Bracciolini (de nuevo la maldita erudición que me atosiga).

Era probable que el espectáculo de que era testigo se repitiese en otros lugares. No había habido necesidad de ningún desastre nuclear; había bastado con el mero anuncio. Me alegré de no haber estado presente en lo que debía de haber sido un zipizape mayúsculo. El razonar con calma tiene sus ventajas.

Pero no era el momento de regodearse por *no* haber hecho *nada*, sino más bien el de empezar a hacer *algo*. Al fin y al cabo, los anuncios de peligro —y, por si fuera poco, de peligro inminente y pavoroso— debían de haber sido lo suficientemente insistentes y convincentes para que inclusive los miembros de una profesión tan respetada como la galénica hubiesen perdido su compostura habitual. Pero en estas excepcionales circunstancias no se podía ser demasiado severo. Además, es probable que hubiese sido un miembro del gremio, acaso el propio cirujano mayor, que tuvo la gentileza de encargar a mi enfermera que actuara de ángel custodio —encargo que el ángel no pudo cumplir por los motivos ya apuntados.

Basta de cavilaciones, y en marcha.

Normalmente habría tardado medio minuto en recorrer el pasadizo y alcanzar los ascensores. Mi natural flaccidez tras dos días de completo ayuno y después de varias dosis de calmantes, y el tener que sortear tantos despojos, hizo que esta corta travesía se me antojara una hazaña. Fue, en todo caso, una proeza inútil, porque al alcanzar el final del corredor, descubrí que no funcionaba ninguno de los cuatro ascensores —lo que hubiera tenido que prever, porque la mayor parte del tiempo estos artefactos llevan un cartelón que reza «No funciona»—. Tuve que desandar lo andado hasta alcanzar el otro extremo del mismo corredor, donde, contra el más elemental sentido común, habían instalado la escalera de escape.

Mi sala de operaciones estaba en el piso veintitrés, ocho plantas por encima de mi cuarto, de modo que me aguardaba un larguísimo descenso. Por lo que podía divisarse desde la altura, la batalla campal que había tenido lugar en los corredores había continuado en la escalera. Inclusive es probable que hubiese recrudecido. Considérese la escena: ¡Treinta y tantas torrenteras de cuerpos saliendo de otros tantos pisos y volcándose en una rugiente catarata humana! Junto con despojos como los que había ya visto, había otros no infrecuentes en los hospitales: muletas rotas, bastones, bragueros, vendajes, fajas, brazos y piernas artificiales, dentaduras postizas, *you name it.*

Estaba a punto de decir «¡Qué asco!», pero me paré a tiempo. Hubiera sido poco compasivo, sobre todo en este recinto, sentir repugnancia ante esas patéticas miserias.

A medida que me acercaba a los primeros pisos aumentaban las barreduras y desperdicios. Cerca de la cuarta planta vi una silla de ruedas con las correas colgando; supuse que su ocupante la había abandonado —o que le habían forzado a ello—. En estas ocasiones el «¡Sálvese quien pueda!» parece ser algo más que una frase ritual en los novelones de Julio Verne o de Emilio Salgari. El silencio que envolvía esos vestigios me trajo a la memoria una de las pocas palabras que le oí susurrar a mi abuelo, el jardinero Heinrich Munz, poco antes de su muerte: *unheimlich.* Nunca he podido dar con un vocablo —he probado muchos: «inquietante», «sospechoso», «fantástico», «misterioso», «pavoroso», «enigmático», «insondable», «extraño»— que traduzca satisfactoriamente esta palabra.

Me pregunté si todo aquello había tenido lugar recientemente o hacía ya algunas horas, acaso un día entero, mientras yo estaba bajo los efectos de un sedativo ingerido poco antes de que empezara la desbandada. Pero la verdad es que sólo me habían dado un par de barbitúricos y una inyección sedicentemente «muy suave», de modo que lo ocurrido debía de ser muy reciente. Pero en este caso, ¿por qué no se oía ahora el menor ruido? ¿Por qué no se veía un alma?

Apenas terminé de formularme esta pregunta, vino la respuesta. En forma de alguien. O de algo que había sido alguien. Inmediatamente le di un nombre: «Mi primera víctima».

Si las catástrofes de que pareció haberse hecho eco la enfermera (*The nukes! The nukes!*) se materializan alguna vez, voy a ver probablemente bastantes más de esos algos que fueron alguien y ya no son nada. Lo que se llama «un muerto». ¡Hay tantos! Pero el primer muerto goza de un privilegio: mírase por donde se mire, resulta ser «el primero». Es posible que todo sea únicamente cuestión de novedad. Cada nuevo muerto disminuye el interés de la cosa. Leí en alguna parte que «la hiperinflación de la muerte ha abaratado la vida». No recuerdo donde lo leí, pero es verdad. Cuando los cadáveres ni siquiera se ven, o se ven sólo en la pantalla del televisor, fugitivos y bidimensionales, la sensibilidad se embota. «Diez mil víctimas sepultadas bajo el lodo en Armero, Colombia.» «Cincuenta mil niños mueren de hambre en Etiopía.» «En casi veinte millones (o treinta, millón más, millón menos) se cifran las víctimas de las inundaciones de Bangladesh.» Muy triste, sí señor, pero, ¿qué le vamos a hacer? ¿Vamos a salir de nuestras casillas y a emprender una cruzada? Son problemas demasiado grandes para uno solo. Que se encarguen ellos, los que pueden hacer algo: la Cruz Roja, los Gobiernos de los países ricos, las Naciones Unidas...

¡Oh! ya sé, no siempre es menester ver, oír, oler y tocar. Un sutilísimo poeta árabe (los árabes en estas materias les dan ciento y raya a mis griegos) dijo, si mal no recuerdo, que a veces conviene que la amada no esté cerca del amado para que el amor de éste no se distraiga con la presencia de aquélla. ¡Exquisito! ¡Finísimo! Como escribió otro poeta (que éste sí debía de ser un griego), la ausencia puede contar más que la presencia. Siempre caben consuelos. Sobre todo, cuando se trata de números.

Lo de los «números» no es de mi invención. Pertenece al vocabulario militar de un país cuyo nombre no hace aquí al caso y que es usado para referirse a alguien que *no* sea miembro de las Fuerzas Armadas.

Por el atuendo —batín a rayas, zapatillas de fieltro y bastón con mango de goma y punta de aluminio que todavía tenía bien agarrado en la mano derecha—, mi «número» tenía todo el aire de ser (¡de haber sido!) un paciente en vías de recuperación. Raza caucásica (como rezan los formularios), rostro cetrino, labios amoratados, pelo grisáceo, bigotes caídos. Estatura mediana. Más bien flacucho. Entre los cincuenta y los sesenta. Como sentado sobre el piso de cemento, las piernas —magullaciones y varices— medio desnudas, los ojos abiertos e hipnóticamente vidriosos. La boca algo torcida, con el labio inferior agarrado por un fragmento de dentadura postiza. No se movía en absoluto. No parecía respirar. Ni siquiera parecía un ser humano. Más bien un fardo. De todos modos, a estas alturas la diferencia no es muy importante.

Era de presumir que, empujado por la multitud, el interfecto había rodado escalera abajo, sufriendo contusiones internas que habían precipitado su fin. Lo imaginé agarrado a su silla, empujado y pisoteado por la multitud, cagándose en la madre que los parió a todos, hasta que le falló el corazón y salió disparado contra una esquina. Su rostro ceniciento favorecía esta razonable hipótesis.

De no haberme embargado el módico de compasión que algunos todavía retenemos, habría concluido que aquel bulto inmóvil tenía un aire más bien grotesco. ¿A quién se le ocurre mostrar la dentadura postiza por una esquina de la boca? El rostro, desencajado, daba una impresión de estupidez palmaria. A lo mejor había sido un tipo listísimo. Pero aquellos ojos de sapo aplastado y aquellos brazos de muñeco al que se le ha terminado la cuerda, ponían esa conjetura en duda. No siempre las apariencias engañan.

No es mi fuerte expresar sentimientos de piedad hacia el prójimo —en estas modernas conejeras hay demasiados prójimos para que uno se pueda dar semejante gusto—, pero la verdad es que ese desperdicio me dio realmente pena. Quizá había asesinado a su esposa, dejando a su hermano mayor en la miseria o violado a su hija menor. Pero nada de eso importaba ahora mucho. El sujeto se había convertido en un difunto —digno del respeto que suele expresarse en solemnes palabras funerarias—. Parece que con sólo dar el último suspiro ya se ha ganado uno la simpatía de los sobrevivientes.

Egoístas que somos todos, aun los más desinteresados, me felicité con creces de *no* haber saltado prestamente de mi mesa de operaciones para juntarme con aquellos malaventurados. Hasta me alegré de que mi enfermera-ángel hubiera fracasado en su noble empeño de apartarme del peligro. Debilucho como aún me sentía, es seguro que no habría tenido suficientes arrestos para aguantar los batacazos de la multitud enloquecida. No era improbable que hubiese terminado como ese, bueno, confesémoslo, asqueroso bulto: el cuerpo aplastado sobre un muro de cemento, el busto medio doblado, llevando aún el batín con el nombre, Frederick Bonner, y las iniciales del título, MD, en azul celestísimo, los ojos, asimismo azules (genes de los Munz), ahora vitrificados, el pelo castaño (genes de los Gómez) revuelto. Si no hubiera sucumbido bajo los mamporros de mis semejantes, la víscera vislumbrada en la pantalla del *scanner* habría cesado definitivamente sus actividades. Así habrían acabado mis cuitas, pero también mis futuros posibles gozos, incluyendo —y no era el de menor cuantía— el ver ¡por fin! impresas mis esmeradísimas versiones de Teognis, Safo, Marcial y Claudiano y hasta, ¿por qué no? algún día la no menos escrupulosa y admirable versión del para mí cada vez más fascinante *Apocalipsis*. Lo que pensé a la sazón estaba, no hay duda, bastante fuera de tono con la gravedad de las circunstancias, pero en aquel momento me hice el firme propósito de no demorar ya más mis últimas correcciones del texto de Safo. No estaba dispuesto a renunciar a un placer tantas veces anticipado: acariciar los pliegos del «ejemplar reservado para el traductor» con los «estudios originales para cada uno de los aguafuertes» que, según el contrato, debían ilustrar los versos de la seductora isleña. Ya me veía recluido por la noche en mi estudio de New Hope, leyendo por vez centésima, si no milésima, los mismos versos tan fluidos, bien que tan trabajados, antes de abrir la ventana para contemplar el disco de la «bella Selene» cantada por la poetisa, con su «luz plateada anegando el orbe entero». ¡Qué estupidez! Pero ¡qué delicia!

El fardo seguía inmóvil. Me acerqué, y para asegurarme de que, fuese lo que fuese, era ya cadáver, lo empujé —eso sí, con mucha delicadeza— con el pie derecho. Aunque lo rocé apenas, se desplomó aparatosamente.

Al tiempo que chocaba contra una losa de mármol gris que servía de lápida o tal vez de recordatorio —«To the Memory of... A Gift of the Class of 1948» e inscripciones del mismo jaez— oí un estampido muy semejante al de una secoya gigante partida por un rayo (hablo por lo que sé como espectador de documentales sobre las maravillas de la Naturaleza). El estampido siguió tan de cerca al choque de lo que debía de haber sido el cráneo de mi víctima contra la lápida, que pensé que lo último era la causa y lo primero el efecto. Idea absurda, porque un modesto cráneo humano es incapaz de producir tal estrépito. Además, al estampido inicial siguieron otros, amén de una renovada serie de crujidos y chirridos, gemidos, quejidos, aullidos, plañidos, trastazos y pataleos.

Debía de haber sonado en alguna parte una segunda alarma. Pero esta vez las trombas humanas no parecían huir de mí, sino más bien ir a mi encuentro, como embistiéndome para acribillarme a cornadas. Tratando de evitar una colisión fatal, me aplasté contra el muro, pero a despecho de mis desesperados esfuerzos para minimizarme, el angosto rellano fue pronto invadido por gentes despavoridas. Algunos gritaban «¡Arriba! ¡Arriba!»; otros, «¡Abajo! ¡Abajo!» y los más «¡Sigan! ¡Sigan! ¡No se paren!», todo ello envuelto en las blasfemias y palabrotas del caso. Debía de haber muchos que no estaban de acuerdo ni en seguir subiendo ni en volver a bajar, porque se arremolinaron en «mi» rellano. No sabiendo a qué obedecían esos contrarios movimientos, y ansioso de salir de aquella ratonera, comencé a esgrimir el bastón del muerto. Gracias a su punta metálica me abrí paso por entre esos indecisos ciudadanos hasta lograr salir del rellano y bajar los peldaños que conducían a la planta principal, parejamente invadida de gente que, a su vez, trataba de alcanzar la escalera. Todavía esgrimiendo mi providencial báculo, me deslicé hacia el final del vestíbulo, donde las cosas parecían algo más calmadas.

No tanto, sin embargo, para que no se hubiesen formado ya varios corros que discutían la situación acaloradamente. Por fin iba a enterarme de todo lo que había pasado.

No fue todo, pero para algo serviría.

Para empezar, me enteré de que hubo, en efecto, una alarma nuclear. No había de ello la menor duda en vista del modo como habían sonado las sirenas. Las tres primeras letras NUC, de la palabra «nuclear» —que casi todo el mundo abreviaba *nuc* o *nuk*— en el alfabeto Morse. Un pitido largo seguido de uno breve (N), dos pitidos breves seguidos de uno largo (U), un pitido breve, otro largo y otro breve (C). La enfermera tenía toda la razón (*The nukes! The nukes!*). ¿Cómo no lo había entendido yo al tiro? Un fragmento de segundo antes de los griteríos había oído, en efecto, un par de mugidos y hasta había cruzado por mi mente la estúpida idea de que parecía una señal emitida por un vehículo espacial, atestado de extraterrestres, y anunciando un espectacular aterrizaje. De modo que todo se explicaba: los residentes del edificio, y posiblemente la ciudad entera, habían huido a la carrera para evitar perecer calcinados.

Lo que nadie había previsto eran las consecuencias de la desbandada. En el Hospital General la cosa era clara. Puesto que no se podía contar con los ascensores, y además se anunciaba dondequiera que éstos no debían utilizarse en modo alguno en caso de urgencia, todo el mundo se coló por la misma, y única, «escalera de escape». Se sospechaba que los impedidos fueron llevados a cuestas o arrastrados en sus cochecitos de ruedas. Pero como cuando reina el pánico disminuye proporcionalmente el número de almas caritativas, es muy probable que algunos tullidos fueran abandonados a su suerte. Mi caso particular —pensé mientras escuchaba estas relativas novedades— era distinto, porque no se había empezado aún la anestesia, de modo que el cirujano y sus ayudantes tenían cierta excusa de no haberme sacado de la mesa de operaciones, sobre todo si, como aún sigo confiando, encargaron a mi enfermera-ángel —¡cuánto me gustaría ver su carita asustada a la par que volver a oír su voz cristalina!— que me pusiera a salvo. ¡Toda la culpa de mi abandono la tuvo su egoistona —y seguramente feísima— compañera! En fin, todo el mundo que pudo se fue para abajo en busca de los sótanos, especialmente del tercero y el cuarto, con el fin de guarecerse, cuando menos durante los primeros instantes críticos. O así proclamaba que debía hacerse el folleto «The General Hospital. At Your Service», el cual aseguraba, además, que se trataba de «dos refugios en caso de ataque nuclear», no sólo muy bien diseñados y «reciamente construidos», sino

Theodore Lownik Library
Illinois Benedictine College

también atestados de víveres, depósitos «herméticamente cerrados» de agua potable y un «número suficiente» de botiquines de «primeros auxilios».

Por desgracia, aunque había tales refugios, con todos los víveres, depósitos de agua potable y botiquines necesarios, su construcción distaba de ser tan «recia» como el folletito aseguraba.

En principio, todo debía de haber funcionado a las mil maravillas. Los refugios ostentaban el letrero «Capacidad máxima: 1.000 personas» y éste fue aproximadamente el número de los que se apretujaron en cada uno de ellos. Por un dichoso azar —que duró poco— el número de ocupantes del General Hospital en aquellos momentos no pasaba de las 2.000 personas.

Guarecidos en los lugares designados, sólo había que aguardar a que se produjeran las temibles explosiones (si de eso se trataba) mientras se rogaba a todos los santos —yo lo habría hecho, desde luego, a los dioses del Olimpo— que, aun si se derrumbaba el edificio entero, los solidísimos sótanos aguantaran los primeros golpes. En estos momentos a nadie se le ocurre que los refugios pueden convertirse en sepulcros. Lo único que importa es aguantar la embestida inicial. Se espera que oportunamente pueda uno escabullirse hacia lugares más seguros.

Conteniendo el aliento, tanto a causa del pánico como de las apreturas, los dos mil residentes del inmenso edificio hicieron lo único factible en esas críticas circunstancias: esperar. Pero transcurridas un par de horas sin que hubiera el menor indicio de explosiones o desplomes, empezaron a soplar vientos de impaciencia. Algunos de los refugiados comenzaron a preguntarse inclusive si no habían procedido un poco aturdidamente. ¿Habría sido todo una falsa alarma? ¿Una de esas ráfagas irracionales a las que tan fácilmente sucumben las muchedumbres? ¿No sería más prudente salir de esta trampa y tratar de averiguar si había, en efecto, serio peligro de explosiones o de derrumbes?

Algunos de los que así discurrieron y que, además, habían tenido la buena suerte de colocarse muy cerca de la entrada, comenzaron a abandonar la cada vez más irrespirable caverna. Se encaminaron de nuevo hacia «la escalera de escape» con el fin de alcanzar la planta principal.

Esto les salvó, aunque a estas horas me estoy preguntando si por mucho tiempo; cuando se está confinado en uno de esos monstruosos edificios, puede suceder cualquier cosa. Los que permanecieron en los sótanos —la inmensa mayoría— no tuvieron que esperar mucho.

En todo caso, aunque los apiñados en el «Refugio N.º 1» (sótano 3) no pasaban de los 1.000 permitidos, su peso fue suficiente para desmentir las optimistas predicciones del folletito. Se oyó primero un crujido premonitor y casi inmediatamente el piso se partió por la mitad, como si King Kong en persona le hubiese asestado un tremendo puñetazo. Ladrillos, vigas y cuerpos humanos se desplomaron con gran estrépito —el mismo que oí desde mi rellano— sobre las cabezas de sus compañeros de infortunio, los ocupantes del «Refugio N.º 2» (sótano 4), causando lo que, antes de contarlas, se llaman «innumerables víctimas». Si bien no he visto nunca, ni siquiera en el cine o en la tele, una hecatombe semejante —una de las pocas, dicho sea de paso, que no figuran en la exhaustiva película *Catástrofes*—, me la puedo imaginar muy bien. Veo, como en una pantalla interior, los brazos en alto de los que más cerca estaban del inmenso boquete abierto por el susodicho King Kong, agitándose como al final de un concierto roquero —o como en los recintos infernales tan minuciosamente descritos por mis autores apocalípticos—. Veo los ojos desorbitados, las bocas medio torcidas, y hasta —reminiscencia de los sermones de Semana Santa oídos en mi infancia— el «crujir de dientes». Veo los cuerpos entrechocarse, como trabados en lucha a muerte, aun si lo que cada uno trataba de hacer era sólo desembarazarse de obstáculos —fuesen vigas o moribundos— para alcanzar cuanto antes la puerta de salida. Mi pantalla interior es muda, pero se le pueden añadir fácilmente una gran variedad de efectos acústicos.

No niego que lo que sucede en estos casos puede tener muy poco que ver con lo que uno (más tarde) imagina. Es posible que con ocasión de alguna Gran Catástrofe se les brinden a los seres humanos muchas oportunidades de llevar a cabo actos de heroísmo o, por lo menos, de altruismo. Que deje de oírse por unos momentos el «Sálvese quien pueda». Yo, francamente, tengo mis dudas. Las cuales se confirman por lo que le oí decir a uno de los que más vociferaban en un corro que parecía haberse arrogado la «organización urgente» de «equipos de salvamento». Por lo visto, en el refugio número 2 quedaban aún, entre escombros o bajo pesadas vigas de acero, numerosos heridos implorando socorro. Algunos se habían quedado en la puerta para ver si salían los familiares o los amigos. Pero esto dificultaba aún más el posible salvamento de quienes estaban gimiendo en la oscuridad. Uno de los galenos que discutían las medidas a tomar había resumido, en el usual vocabulario machista, la opinión de muchos: «Basta de jodidos lloriqueos; lo que necesitamos son tipos con cojones».

Todavía me cubría el batín que rezaba «Frederick Bonner, MD», y pensé por un momento si no sería conveniente quitármelo por si su propietario andaba por los alrededores y me reconocía. Acto seguido me di cuenta de que no llevaba casi ninguna otra prenda encima y que no tenía más remedio que apechugar con el batín. Además, lo más probable era que si el «verdadero doctor Bonner» hubiese estado por allí y me hubiese reconocido, me habría esquivado. Al fin y al cabo, yo había sido uno de sus pacientes en la sala de operaciones y él hubiera tenido que confesar que había desertado, el muy cobarde. Pero, al verme así ataviado, uno de los «organizadores» de «equipos de salvamento» me pidió que, por favor, me trasladara inmediatamente al vestíbulo F, donde estaban ya congregados algunos de los médicos dispuestos a prestar los tan cacareados «servicios de urgencia».

No sabía qué hacer. Hubiera podido decirle al vociferante «organizador» que realmente yo no era un doctor, no, señor, o que lo era, sí, señor, pero no en medicina, sino *sólo* en Filosofía y Letras y aun así *únicamente* en Lenguas y Literaturas clásicas, pero estoy seguro de que de haberle contestado así habría concluido que me había fugado del pabellón de los chiflados.

Podía haber explicado mi situación de operando, a pocos segundos antes de la anestesia, y hasta haber protestado de que —haciendo excepción de mi ángel— se me hubiera abandonado, razón por la cual tuve que salir precipitadamente y agenciarme un batín que no me pertenecía y que, etc., etc. Lo malo es que en la situación reinante, nadie habría entendido de qué hablaba y hasta algunos hubieran barruntado que trataba de cometer algún delito. Podía haberme personado por mi cuenta en alguno de los sótanos y ver qué podía hacer para ayudar a algún desgraciado, pero me temo que en esto se habría inmiscuido alguna curiosidad malsana. Podía, finalmente, hacer como quien se dirige hacia el vestíbulo F con el propósito de «recibir órdenes» de algún «jefe de equipo», y en vez de ello dar una vuelta y escurrirme.

Que es lo que, a la postre, hice.

Al final del vestíbulo divisé una puerta sobre la cual se desplegaba, en luz fosforescente anaranjada, el letrero «Salida». Me dirigí hacia ella con paso firme, como quien tiene una delicadísima misión terapéutica que cumplir, y dando mentalmente las gracias a mi *dáimon*, que tanto había hecho para sacarme de este atolladero.

Varias veces en el curso de mi vida he creído oír la voz de este *dáimon* prodigándome consejos. En realidad, era un solo consejo, siempre el mismo, y por cierto no muy original. Nada de «Conócete a ti mismo» u otras frases sesudas, sino sólo: «Por Júpiter, Leopoldo, tómalo con calma». Hasta ahora lo había hecho todo exactamente como el *dáimon* me lo había recomendado, y me había ido bastante bien. Era cuestión de no llevarle la contraria.

Theodore Lownik Library
Illinois Benedictine College

5

El Hospital General, inaugurado hace apenas
un par de años, ocupa un vasto cuadrilátero —bloque, cuadra o manzana—, con ángulos en Van-
dam, Charlton, Hudson y la Séptima.
No puede estar peor ubicado.
Por si las toxinas y ponzoñas que segregan el
río, los mataderos y los muelles fueran pocas, re-
cibe las dudosas emanaciones de los miles de tubos de escape que entran y salen constantemente
de los accesos al Holland Tunnel. La circulación
es absolutamente demente. No es raro que, tras
haber sorteado un tráfico diabólico a fuerza de sirenas y peligro de colisiones fatales, una ambulancia quede detenida en seco a cincuenta metros de
los «Servicios de Urgencia». Gridlocada, como dicen algunos de mis compatriotas poco escrupulo-
sos con el lenguaje —o inconscientes renovadores
del mismo—. Si la ambulancia lleva alguna par-
turienta, lo más probable es que allí se produzca
el primer vagido. Si es un caso muy grave, es casi

seguro que terminará en el mismo vehículo —lo
que el hospital, que cuida mucho de las estadísti-
cas, agradecerá secretamente—. En cuanto a la
quietud que se exige de los alrededores de las instituciones de este carácter, los constructores pare-
cieron seguir los dictados de un lunático. Si el tráfico era demoníaco, el ruido era, noche y día, sa-
tánico.

Desde que había pasado por esta zona la última
vez, no debe de hacer mucho más de una semana, las cosas habían cambiado por completo. A
primera vista (muy luego tuve que cambiar de opinión) no parecía el mismo barrio. Ni siquiera el
mismo planeta.

De no haber mediado los luctuosos acontecimientos que he estado recordando y, sobre todo,
de estar seguro de que todo había sido una falsa
alarma, diría inclusive que la situación había me-
jorado mucho. Por lo menos desde mi punto de
vista.

Por lo pronto, nada de gritos, silbidos o zumbidos. Nada de bocinas perforadoras de tímpanos.
Ni siquiera —¿puede creerse?— las omnipresentes músicas roqueras. Un silencio insólito. Casi sedante. Además, nada de humo, *smog* o neblina.
Nada de partículas negras suspendidas en el aire
infiltrándose en la córnea. Un aire excepcional-
mente puro. Una atmósfera superlativamente diá-
fana. Hasta pude divisar, sobre un cielo intensa-
mente negro tachonado de estrellas, las constela-
ciones más conocidas del hemisferio: Casiopea,
Hércules, Cefeo, las dos Osas, el Auriga. A diferencia del hospital, que tenía sus propios generadores, la calle estaba sin alumbrar, pero todo era tan
nítido que bastaba la luz de la luna en su cuarto

creciente. Por un segundo tuve la impresión de que me estaba acercando a la florida verja que circunda mi casita en los aledaños de Nueva Esperanza.

Desde luego, si la alarma había sido justificada era de temer que toda esa sorprendente transparencia y extraordinaria calma fuesen como el ojo del huracán. Aun sin haberse producido ningún cataclismo termonuclear —de haber ocurrido, no estaría yo aquí tan calmosamente tratando de rememorar el pasado reciente—, no era totalmente improbable que viviésemos bajo la amenaza de algún espeluznante siniestro. Al fin y al cabo, ya había sido testigo de uno. Que se produjo simplemente a base de mugidos —largo, breve; breve, breve, largo; breve, largo, breve— de sirenas.

Al tiempo que había comenzado a apasionarme por la literatura apocalíptica, me habían empezado a interesar los posibles efectos de la explosión de bombas termonucleares —al fin y al cabo, los dos temas deben de estar íntimamente ligados—. Hasta conservaba en mi memoria muchos datos relativos al poder explosivo de estos artefactos según el kilotonaje y el megatonaje, así como numerosas y detalladas informaciones sobre radiaciones nucleares iniciales, pulsos electromagnéticos, tempestades de fuego, lluvias negras, ventoleras radioactivas y otras terroríficas consecuencias, y hasta me admiraba que, salvo ocasionales estallidos de interés suscitados por libros que se vendían por millones durante un par de meses y luego desaparecían de la circulación o por alguna comentadísima y pronto olvidadísima miniserie en la televisión, mis coterráneos siguieran viviendo tan tranquilos.

Pero todo lo que había aprendido sobre estos asuntos desembocaba en la siguiente conclusión architrivial: si hasta el momento no había pasado nada de lo anunciado, o sugerido, por los mugidos de las sirenas, lo más prudente era alejarse lo máximo *por* si algo sucedía. Esto quería decir salir con prisa y sin pausa de esta ratonera urbana.

Me hubiera gustado pasar por mi apartamentito, donde conservaba varias notas útiles para mis futuros trabajos apocalípticos. Pero como me las sabía prácticamente de memoria, juzgué preferible no demorar más mi partida. Lo más razonable, mientras durara esa excepcionalísima calma, era encaminarse directamente al parque de estacionamiento subterráneo entre Bleecker y la calle 3 donde tenía parqueado mi Suzuki-Samurai. Un par de manzanas cortas después de atravesar la Sexta Avenida, tres bastante largas hasta Bleecker y ya casi llegaba. Si no me desvanecía, a causa de la debilidad, o si el parque de estacionamiento no había sido asaltado y ocupado por sujetos tan aterrorizados como los del hospital, o si etcétera, etcétera, etcétera, dentro de unos veinte o veinticinco minutos me sentaría frente al salpicadero del coche, insertaría la llave de contacto y me pondría en marcha hacia el Holland Tunnel, desde donde pasaría, una vez salvado el laberinto de Jersey City, a una red de carreteras relativamente poco frecuentadas y que me conocía al dedillo. Poco después alcanzaría el río Delaware y, finalmente, cruzado el río, New Hope, lo bastante lejos para que todo daño llegara —si llegaba— filtrado por el tiempo y la distancia.

Armado con estas optimistas previsiones, emprendí la marcha hacia el garaje cuando, después de unos cuantos pasos, me acordé de repente de que no tenía la llave del coche. Antes de ingresar en el hospital la había depositado en el **RPPR**, al cuidado de mi amigo Cosa, tanto porque confiaba que la guardaría celosamente como porque su establecimiento no estaba demasiado lejos ni del hospital ni del garaje. Sólo había que bajar un poco más por la Sexta hasta llegar a Spring, seguir Spring hasta alcanzar Thompson y subir un poquitín hacia Prince.

El RPPR ocupaba una planta baja después de un jardincito para niños con más cemento que árboles en la esquina entre Prince y Thompson, antes, o después (de eso no me acordaba nunca) de una lavandería.

Pensándolo bien, era una suerte tener un amigo de confianza tan cerquita. Pensándolo mejor, era una pura casualidad que el Bar RPPR, regentado por ese amigo, estuviese instalado en pleno SoHo.

Esto se debía a que Juan Cosa había comprado su local, a un precio increíblemente reducido, hacía ya más de treinta años, cuando, recién llegado de Santurce con unos dineros heredados de su padre para ver si podía hacer algo de fortuna en la *Big Apple*, estas calles no eran mucho más que una especie de satélite del Village y no habían adquirido su actual carácter cosmopolita y pretencioso. Por aquí, especialmente en las plantas bajas y en los sótanos, no hay ya ahora casi otra cosa que estudios de pintores, galerías, restoranes exóticos, cabarets, discotecas, bares «especializados», expendedurías de drogas supuestamente fuera del alcance de los ciudadanos amantes de la ley, cafés donde con sólo levantar el meñique le sirven a uno un espresso, consultorios para afectados por el SIDA, boutiques con precios asesinos. En medio de esa baraúnda se asienta el modesto Bar RPPR, que Juan Cosa considera, con orgullo, como un «enclave hispánico» por el nombre, las especialidades en piña colada y Cuba libre y unos cuantos parroquianos isleños, incluyendo casi todos los «intelectuales» de la zona y varios sujetos que, acaso sólo para mantener el «enclave», bajan a veces de la calle 14, o inclusive vienen de allá por Essex. Pero el «enclave» está «abierto a todo el mundo» y por eso acuden también parroquianos variopintos, de extracción no hispánica, desde unos cuantos (pocos) *wasps*, que se acercan primero por curiosidad y luego vuelven, hasta algunos judíos (no ortodoxos) y griegos (ortodoxos). Poquísimos de color, ni siquiera de la Isla, pero esto no se debe a... la verdad es que nadie puede decir a qué; así es, pura casualidad, «yo no tengo manías» dice Juan Cosa, aunque la verdad es que le gusta más la gente de su patria chica, «siempre que sean limpios» —se entiende, no traqueteen (con drogas)—. En una ocasión, no hace tanto, le propusieron comprar el local a un precio muy ventajoso; ni hablar, pero, además, los interesados cometieron el desliz de informar al propietario que tenían la intención de instalar otro bar, éste «especializado», para uso de los «gays», presumiblemente con uno de los salones para hombres y el otro para mujeres. Juan Cosa rechazó, furioso, la oferta, porque, con sorpresa de los presuntos compradores, le pareció que este género de establecimiento —que ya se había ensayado, con éxito, en sitios no tan lejanos, como The Monster o Girl Bar— era totalmente «reaccionario» y «discriminatorio». «Al RPPR puede venir cualquiera. Me da lo mismo que sean maricones o tortilleras, catedráticos (¿se refería a mí?) o putas. ¡Todos iguales! Los únicos que aquí no entran son los tecatos. Beber, lo que se quiera, pero nada de arrebatos.» Para eso —y aquí solía hablar muy quedo para evitar pleitos— que se vayan al Milady's Bar, en la otra acera un poco más arriba, que Juan miraba con la escasa simpatía del competidor.

Tras prometérmelas tan fáciles, eché a andar por Charlton hacia la Sexta.

Sí, en efecto, tuve que cambiar de opinión.

Continuaba el silencio, y hasta, a menos que fuese una ilusión, la transparencia del aire. Pero en todo lo demás, las cosas habían *empeorado*. Esta zona, como tantas, de la ciudad (tal vez de todas las ciudades del mundo a la hora actual) estaba, mucho más aún que antes, casi sumergida bajo una espesa capa de inmundicias y desperdicios. No era sólo la roña habitual de la basura cuando no se la recoge durante un tiempo largo, o la ingente cantidad de botellas vacías de Pepsi y latas de cerveza tiradas al azar desde los coches. Eran también llantas abolladas, hierros retorcidos, neumáticos reventados. Había que fijarse mucho donde se ponían los pies, porque lo más fácil era hundirlos en alguna masa de excrementos. Parecía evidente que había habido aquí también, lo mismo que en el Hospital General, una desbandada. Pero en vez de bastones metálicos con puntas de goma, muletas o vendajes, lo que aquí proliferaba eran ordenadores despanzurrados, televisores sin pantalla, refrigeradores con puertas colgando, abrigos de piel y de casimir flotando en charcos, vajilla hecha pedazos, discos compactos pisoteados... Por el deplorable estado de estos cachivaches podía inferirse que se habían abandonado por inservibles después de un intenso saqueo. Parece que a algunos humanos les basta cualquier asonada para espolear su instinto de rapiña.

Ahora, en cambio, no se veía un alma. Es posible que todavía quedara algo de gente, y hasta me pareció vislumbrar llamas vacilantes de velas y reflejos de lámparas de bolsillo detrás de los cristales de algunas ventanas —aunque, para ser sincero, en estos momentos no estoy ni siquiera muy cierto de ello—. En todo caso, no tenía entonces la fuerza o la curiosidad suficientes para meterme a averiguar si se veía o no algo más arriba de las plantas bajas y de los sótanos. Y a lo largo de la manzana estaban sumidos en una oscuridad completa.

Me pregunté si Juan Cosa no habría hecho como todo el mundo y no habría dejado su establecimiento al cuidado de la Providencia. ¿Valía realmente la pena llegarse hasta allá? Era no conocer al propietario del RPPR.

En el curso de los últimos ocho meses su negocio había sido robado y asaltado ocho veces, dos de ellas a mano armada. Pero, hombre, por Dios, no te hagas mala sangre; a los del mercadito M. & O., en la esquina entre Prince y Thompson, les han robado ya *siete* veces, y hasta a las pitusas del Cubbyhole las han desvalijado tres veces, y eso que tienen cubreespaldas armados —todos mujeres, claro—. Y siempre queda el seguro. Sí, sí, pero el seguro pagó sólo la mitad y aun sólo de lo que habían certificado como pérdida los inspectores más cascarrabias de la Compañía, y la otra mitad se la había resarcido triplicando la prima. Además, Cosa temía por el sofá verde. Hasta había pensado en facturarlo a la Isla. Por desgracia, ya no le quedaban allí familiares cercanos ni amigos lo bastante fieles para que pudiera confiarles el tesoro. Lo mejor era aguantar y aguantar y aguantar, esperando que alguna vez «la Ley y el Orden» se impondrían definitivamente. Todos los políticos lo prometían, pero después de ser elegidos preferían entenderse —era más fácil y, por descontado, más gratificante— con bandas y mafias. Lo mejor seguía siendo que cada cual vigilara lo suyo.

En todo caso, yo le había oído decir a Juan Cosa más de una vez que «si pasa algo gordo, no seré yo el que deje esto desamparado».

Para empezar, había instalado una cama plegable en un rincón del «Salón íntimo» por si se le hacía demasiado tarde para regresar a lo que llamaba su «cuchitril» (que no debía ser tan malo como insinuaba porque estaba situado en la calle 12 por la Sexta y los precios no eran nada baratos). En los dos últimos meses se había quedado varias veces a dormir en el RPPR no sin antes hacer una misteriosa llamada. Esto favorecía la hipótesis de que aun en circunstancias tan graves como las presentes, Juan Cosa sería el último en dejar desatendido su establecimiento.

Sea como fuere, no me quedaba otra alternativa que pasar por el RPPR. Además, esto podría ayudarme a completar mi fragmentario panorama. El propietario del RPPR no era ni mucho menos lerdo y tenía, además, buen olfato para oler los acontecimientos. Hombre de buen sentido, vamos.

Lo último lo iba necesitando yo cada vez más, porque a medida que recorría el trecho que todavía me separaba del RPPR me sentía más y más confuso. El ominoso silencio que reinaba sobre ese basural llevaba fácilmente a urdir toda clase de fantasías. Nada de aquello parecía verdadero. Más bien parecía un escenario para una película con terroristas agazapados para un golpe sensacional. O un montaje destinado a servir de proscenio para una adaptación vagamente neorriqueña de la *Ópera de cuatro chavos*. No me hubiera sorprendido ver de repente a un Jack the Knife con rostro ferozmente latino ofreciendo a los futuros pasantes bolsas de crack a precios muy rebajados.

Como si hubiesen evacuado el barrio, y hasta la ciudad entera —lo que habría sido imposible en el escaso tiempo transcurrido desde que oí la alarma—. Estas cosas no se consiguen ni siquiera con un año por delante. Las «evacuaciones totales urgentes en caso de peligro» no pasan de ser un producto de la imaginación de las autoridades. ¡Si bastan unos cuantos peones camineros en trance de abrir una zanja o de aserrar un par de árboles para que las filas de vehículos inmovilizados se pierdan en el horizonte! Cada vez que veo en las calles o en las carreteras signos como «Ruta obligatoria en caso de peligro» o «Salida de urgencia», me río a carcajadas. ¡A veces he tenido que esperar cinco horas a que se despejara una carretera por causa de cualquier minucia! Había que ver la aglomeración que se producía con las luces multicolores de los coches de la policía, las ambulancias con las sirenas rugiendo, los equipos de la televisión local. De intentarse una evacuación en masa, bastarían un par de vehículos detenidos al borde de una autopista para que durante horas y horas el tráfico quedara completamente bloqueado. De modo que no podía tratarse de ningún intento de evacuación de este carácter.

A menos que todo fuera un sueño. Esta posibilidad no podía excluirse porque en el curso de los últimos cinco años había tenido varias alucinaciones singulares.

Una la recuerdo vívidamente.

Estaba también andando por una calle —a diferencia de la ahora recordada, extraordinariamente animada y, además, en plena luz del día— cuando se puso a mi lado una muchacha menuda y morocha que mirándome fijamente a los ojos me dijo que se llamaba Safo. Tal como suena: la mismísima Safo de Lesbos, cuya hermosa y misteriosa oda —*Faitenai moi kenos isos theoisis...*— había intentado pocos días antes traducir procurando que no se perdiera por entero el embriagador sabor del original. Mientras andábamos por la acera y entre los atronadores ruidos producidos por esos inmensos aparatos de radio que algunos califican despectivamente de «tercermundistas», la morenita me estuvo confiando —«como traductor mío, no vayas a creer otra cosa»— ciertos «secretos que todo el mundo, salvo unos cuantos fieles, ignora». Caminando sobre las puntas de los pies, para acercarse lo más posible a mi oído, me precavió contra las difamaciones que «en el curso de los siglos se habían acumulado contra ella». Sin necesidad de que le preguntara cuáles, se apresuró a darme un ejemplo «el caso Faón». Primero, había habido murmuraciones acerca de sus amores con Faón. Sus amigos y amigas desmintieron esos rumores y afirmaron que todo eran patrañas inventadas por quienes se empeñaban en identificarla con «la otra Safo», una vulgar cortesana de Ereso. Por supuesto que ella no era «la otra». No había sido, ni pensaba ser nunca, cortesana, y menos en un villorrio tan pobretón como Ereso. Pero en cierto modo —«te repito: *en cierto modo*»— las hablillas eran ciertas. No sólo había correspondido plenamente a los requerimientos amorosos del apasionado Faón, sino inclusive a los más impetuosos de Alceo. Con esto resultaba clarísimo que no había sido jamás una lesbiana —«en el sentido absolutamente ridículo que los modernos habéis dado a esta palabra»—. No podía negar —y tuve la impresión de que al decir esto esbozaba una sonrisa de adolescente pícara— que había manifestado algo más que un interés pasajero por las alumnas de su celebrada Escuela poética eólica —«lo que vosotros por ahí llamaríais una *finishing school*»— y que les había hablado innumerables veces de virginidad, pero todo eso era para hacerlas aún más atractivas. Estaba dispuesta inclusive —«pero eso sí, no se lo digas a nadie»— a confesar que el amor por su hija, la agraciadísima y jovencísima Cleis —«un panal de miel inagotable del que no tenéis ni idea los modernos»—, amor del que da testimonio el cautivador poema que empieza *Esti moi...* (¡había que ver su cara radiante cuando continué *kala pais...* y así hasta el final!), no había sido todo lo puro y desinteresado que cabría esperar de una madre. Pero nunca —«¡nunca, nunca, nunca!»— había practicado lo que «vosotros llamaríais discriminación sexual». En otras palabras, podía considerársela como una, una... —y aquí vaciló un momento en busca de la palabra justa, pero, helenofónica al fin y a la postre, dio pronto con ella— una «bigenérica». ¿Cómo no se habían enterado antes? Lo expresó claramente en sus celebrados versos alentando a los carpinteros a levantar las vigas del techo de la casa donde aguardaba el lecho nupcial con el fin de permitir la entrada del alto desposado. Y *también* cuando habló de doncellas arropadas en mirto y pétalos de rosa, estremeciéndose en las ansias del himeneo... La deplorable «falsificación de mi pensamiento —y no digamos de mis sentimientos—» se debe en buena parte a las traidoras transcripciones y falaces adaptaciones de unos cuantos vates en el fondo machistas: Ateneo, Anón, Herodiano, Plutarco, inclusive Cátulo... Bueno, algún día —no podía revelarme exactamente cuándo, pero la cosa era segura—, volvería a hablarme —¡a mí, justa y precisamente a mí, un modestísimo profesor de lengua y literatura griegas!—. No tenía por qué sorprenderme: la razón principal era el haber pasado tantas y tantas horas afanándome sobre sus textos, escritos, de lo que estaba altamente orgullosa, en tan diversos metros —sáfico, glicónico, alcaico, coriámbico—, «pero había otras razones» (¿sería porque, a mi modo, era también un isleño?). Estuve a punto de decirle que mi interés por su poesía podía deberse en parte al cuarterón de sangre germánica que circula por mis venas y que de alguna forma me liga a los grandes safólogos del siglo pasado, los Wolf, Volger, Welcker, Neue, Koch —a los que se agrega la feliz concurrencia de lo que un distinguido erudito de nuestros días habría llamado una «ave rara y sola», esto es, el meritísimo y olvidadísimo A. Fernández Merino, que casi un siglo antes de mi nacimiento publicó en Madrid un opúsculo titulado

*Estudios de literatura griega. Safo ante la crítica moderna...* Después de lo cual la morochita se evaporó, dejando un rastro de perfume barato que de todos modos encajaba bien en aquella zona repleta de tiendas «Pro-Novias».

Bueno, si había tenido esta visión, ¿no podía tener otras, aunque fuesen algo menos deleitosas?

¡Otra vez esa maldita manía de imaginar toda clase de disparates!

No, lo *de ahora* no podía ser un sueño. Había alcanzado la esquina de Spring y Thompson, el frío de la noche (o mi escaso ropaje) me calaba los huesos, sentía algo de náuseas —signo inequívoco de la realidad del mundo—, y, por si todo eso fuera poco, veía *con mis propios ojos* un vago resplandor justa y precisamente a la altura donde debía estar la puerta de entrada del RPPR.

6

Me paré frente a la puerta y aplasté el rostro contra el grueso cristal del ventanuco.

Lo primero que vi fue una masa de polvillo amarillento que ascendía hacia el techo y que descendía luego, semejante a una lluvia de oro, en movimiento lento. Puesto que esto no era un espectáculo muy acorde con los recursos de Juan Cosa o con la naturaleza de su establecimiento, pensé que me había equivocado de puerta. Seguramente habría pasado de largo ante la del RPPR y me encontraba varias puertas más allá, donde hacía poco habían instalado un bazar de baratijas importadas de la India: pebeteros de cobre, pastillas de sándalo y almizcle, saris arrugados, cintas multicolores y numerosos otros artículos dispensables que se expedían a precios exorbitantes. Las dos puertas, recordé, eran similares. Pero cuando levanté la cabeza vi que no, que no había pasado de largo, que estaba exactamente ante la puerta del bar de Juan Cosa: aun en la semioscuridad podía divisar los tubos de neón ahora apagados, sin el familiar parpadeo de sus cuatro retorcidas iniciales blancas y rojas, cada una de ellas flanqueada por estrellitas azules. No había duda.

No tuve que aguardar mucho para que el polvillo se aclarara y pudiera inspeccionar lo que había tras la puerta. Era mi amigo y actual custodio de la llave de mi Suzuki-Samurai. Según había conjeturado, no había abandonado el RPPR. Lo que no se me hubiera ocurrido conjeturar nunca era lo que vi que estaba haciendo, a la luz de una lámpara de magnesio que alargaba desmesuradamente las sombras y que daba al conjunto un aire de mazmorra.

Sentado en el suelo, rodeado de ladrillos, tablas de madera y pedazos de vidrio, Juan Cosa golpeaba con un martillo algún bulto que sujetaba firmemente entre las piernas y que yo no alcanzaba a ver por ocultármelo su ancha espalda. Al arrojar el bulto al aire, después de varios furiosos martillazos finales, pude ver de qué se trataba. Eran fragmentos de ladrillos y de maderas encaladas arrancadas de la pared divisoria entre el «Salón General» y la «Salita íntima». La porción de muro cerca de la puerta por la que se accedía al último, estaba ya, en efecto, bastante descascarada; sobre un área de varios metros cuadrados asomaban los paneles de madera cubiertos de papel de aluminio. Como si los fragmentos fueran todavía demasiado voluminosos, Juan Cosa los desmenuzaba antes de depositarlos sobre varios montones de cascotes. En el curso de esta operación destructiva se producía una tolvanera. Nada de lluvia de oro, por supuesto. Polvo y nada más que polvo.

El aspecto fantasmagórico que ofrecía el local a la luz de la lámpara de magnesio me trajo a la memoria las películas expresionistas alemanas de los años veinte. Sólo que ahora la película parecía haberse rodado con la inesperada colaboración de los que en nuestros países se llamaron «Los Tres Chiflados». Uno de ellos, el más gordo y calvo de los tres, estaba haciendo alguna de sus interesantes locuras.

¿Estaba también trastocado el amigo Cosa?

En todo caso, sus furibundos martillazos y su interés por incrementar las pilas de cascotes parecían una completa chifladura.

Aun a riesgo de pescar una pulmonía o de ser acuchillado por algún delincuente agazapado en la oscuridad, me hubiera gustado seguir mirando un rato para descifrar el enigma. Pero en el esfuerzo de aplastar todavía más mi cara contra la mirilla, mis rodillas golpearon la puerta. Juan Cosa se sobresaltó. Vi que giraba la cabeza, muy lentamente, hacia la izquierda mientras hundía la mano derecha en uno de los bolsillos interiores del chaleco. Por la actitud a la vez rígida y cautelosa que reveló su cuerpo, como de gacela sorprendida por un predador, adiviné que trataba de extraer del bolsillo, lo más disimuladamente posible, un objeto pesado. Sólo podía ser su 357 Magnum —el mismo, me dijo, con orgullo, que usa Clint Eastwood en sus películas—. Lo guardaba en una de las gavetas detrás de la barra y a veces lo llevaba consigo («por si las moscas») para recorrer, cuando era muy tarde por la noche, el trecho que lo separaba de su domicilio, o —y eso cualquiera que fuese la hora— para tomar el metro. Era, según me confesó, el único modo como se sentía seguro.

«Solo contra el peligro», agregó (guiñando un ojo para demostrarme que se conocía bien a sus clásicos) cuando en una ocasión, ya muy avanzada la noche, y cuando ya no quedaba ningún parroquiano en el local, tuvo que defenderse, y defender su caja registradora, contra tres tipos fornidos —«*los tres*, vea usted, qué vergüenza, compatriotas. ¡Y de San Juan!»— con caras de facinerosos y navajas afiladas. «Cuando saqué mi 357 Magnum gritando ¡Coño! se evaporaron», hizo constar, notoriamente envanecido de su hazaña.

No había motivos para que repitiera ahora la proeza. Empecé a hacer toda clase de muecas destinadas a ser reconocido o, si más no, a probar que era un honrado ciudadano cumplidor de las leyes y sin el menor ánimo de atracar a nadie. Al principio, no asoció mi cara aplastada contra el cristal —y posiblemente algo deformada— con mi persona, ni entendió nada de mis desesperados mensajes faciales. Hasta tuve la impresión de que le irritaban y de que en el momento menos pensado iba a completar su vuelta y a disparar a bocajarro; aunque el cristal podía amortiguar el impacto, no se sabe nunca dónde van a parar las balas una vez salidas del cañón. Acobardado, me agaché y acurruqué junto a la puerta. En esta posición me mantuve un tiempo prudencial, esperando que Juan se serenaría y se abstendría de cometer un homicidio impremeditado.

Transcurrido el tiempo prudencial —que no recuerdo si fueron diez segundos o media hora— empecé a levantarme con el propósito de asomarme de nuevo al ventanuco, pero apenas logré ponerme de pie, la puerta se abrió abruptamente y del interior salió disparado, como si fuera un proyectil, el corpulento armazón de Juan Cosa. A diferencia de una bala, se paró en seco en medio de la acera, con el índice de la mano derecha apoyado sobre el disparador de su Magnum. Tenía el aire del que estaba dispuesto a defender su persona y su caja registradora hasta su última gota de sangre neorriqueña.

Si el local del bar, con sus macabros claroscuros, me había recordado un filme expresionista, la repentina aparición de Juan Cosa en el umbral de la puerta me hizo pensar en una película del Oeste, con el héroe en el umbral de la cantina listo para barrer a todos los «malos». Como me ocurre a menudo, la realidad se me estaba volviendo peliculera.

Habría sido imprudentísimo dejarme ver; en esa incierta luz, no había modo de distinguir entre un criminal empedernido y un estudioso de la poesía griega y latina. Me pareció más conveniente empezar por sólo dejar oír mi voz. Por fortuna, tengo una voz perfectamente reconocible por su timbre y su tono; además —lo que debo seguramente a mi larga experiencia docente— me distingo de la mayor parte de los amigos y parroquianos de Juan Cosa por mi modo de destacar cuidadosamente cada sílaba.

— Se-ñor Co-sa, por fa-vor, soy yo: el *doc-tor* Arroyo.

Me llamé a mí mismo «doctor», cosa que no hago nunca salvo en ambientes estrictamente profesionales, porque Juan Cosa me llamaba siempre así. No hubiera necesitado ni siquiera agregar el apellido.

Vi que el índice nerviosamente apoyado en el disparador del Magnum se aflojaba y que el rostro contraído se distendía. El armatoste acabó otra vez en el bolsillo del chaleco. En el rostro se esbozó una sonrisa que revelaba al mismo tiempo sorpresa, bienvenida y alivio.

— Pero, doctor, ¿qué hace usted aquí a estas horas? ¿Cómo ha podido llegar? ¿Por qué no me avisó? ¿No estaba en el hospital, doctor? ¿Y así, tan ligerito de ropa en una noche tan fresca? ¿No tiene miedo a pescar algo malo? Entre, entre, deprisa, por favor: le voy a preparar una bebida. Algo bien caliente... Un ponche... Mucho ron.

No me preguntó por qué llevaba bata blanca, y por qué en ella no figuraba mi nombre, sino el de un tal Frederick Bonner, MD, pero se comprendía. El nombre bordado en azul no debía ni verse en aquella oscuridad dominante. En cuanto a la bata blanca, tal vez pensó que en ciertas ocasiones todos los profesionales, desde los médicos a los profesores de griego, llevan ese atuendo. En algo tienen que distinguirse del común de los mortales.

— Entre, entre, doctor, no se demore.

Bueno, eso era justamente lo que yo quería: entrar cuanto antes en el establecimiento, descansar un rato, cambiar impresiones con Juan Cosa, recabar la llave del coche, llegar hasta el garaje, poner mi vehículo en marcha.

En una palabra: salir de este infierno.

Ese Juan Cosa se manifestaba como lo que siempre creí que era: un alma cándida pero a un tiempo cazurra, con pocas letras pero mucha labia, un hombre temible cuando se sentía ofendido, pero el mejor de los amigos en casos de real urgencia.

Apoyándome en el bastón con punta de aluminio por el lado derecho, y en el robusto brazo de

Juan Cosa por el izquierdo, hice mi entrada en el RPPR. Tuvimos primero que eludir un enorme bulto que antes no había visto y que reconocí como el aparatoso mueble, usualmente repleto de botellas, detrás de la barra. Ahora yacía sobre el suelo, en parte hecho astillas. Tuvimos luego que apartarnos para no tropezar con una larga plancha de zinc medio retorcida. Finalmente, saltamos por encima de varios montones de cascotes antes de poner pie en la «Salita íntima», con su mesa de formica blanca, su calendario «1992: Año del etc.» y su sofá verde. Creí no haber entendido bien cuando Juan Cosa me instó a que me tendiera sobre el sofá, «para descansar un buen rato antes de volver a emprender la marcha». ¡Nada menos que sobre la reliquia tan celosamente guardada! Cierto que, a diferencia de todos los demás parroquianos y amigos de Juan Cosa, yo había sido el único a quien se había permitido tocar el sofá y en alguna ocasión especialmente memorable inclusive sentarse en él. ¡Pero tenderse en él como si fuera una vulgar cama! Sin embargo, esto es justamente lo que el propietario del RPPR me instaba a hacer. Al acceder a su generosa invitación comprobé, una vez más, que si no todo es relativo, muchas cosas lo son. Los sofás de cuero verde, por ejemplo. Con mis huesos molidos, me acomodé en él como si fuera el campo de plumas que un poeta español prescribió para las batallas de amor.

La cabeza apoyada sobre un respaldo, divisé, en el corredor al fondo de la «Salita íntima», las dos angostas puertas de los «Lavabos». Ya antes de entrar en el establecimiento había estado pensando en ellos —¡quién sabe cuántas horas habían transcurrido desde que visité uno de esos indispensables cubículos!—, pero de repente se me terminaron todas las urgencias. Así son las necesidades del animal humano: tan imperiosas como caprichosas.

— Doctor, le preparo un ponche.

Sin que me diera tiempo a responder, Juan Cosa desapareció por el corredor. En una reducida habitación enfrente de los «Lavabos» tenía instalada una pequeña despensa, con un par de hornillos de queroseno donde a menudo preparaba su café y hasta algún refrigerio. Los que conocían estas frugalísimas disposiciones se reían de Juan Cosa: «Pero, hombre, con el dinero que debes de tener en el Banco, ¿cómo no te compras una cocina eléctrica del último modelo?». Pero hasta el momento Cosa se había resistido a todas las «mejoras». Como todo el mundo, yo lo había atribuido a avaricia, aunque para no ofenderlo le alababa a veces su espíritu de ahorro. Ahora entendí que era más bien el espíritu de la previsión. Y hasta recordé que una noche —un martes— en que hubo un apagón, nos dijo, a los «intelectuales de la mesa de formica», que «la electricidad es muy buena hasta que se corta». Cuando luego pasó al «Salón General» con su lámpara de magnesio y no podía oír ya nuestros comentarios, uno de los contertulios hizo la observación, tan propia de las gentes de nuestro gremio, de que Juan Cosa había dicho algo completamente baladí. Pensándolo bien, era una frase genial.

— Le he puesto algo más de ron, doctor, pero lo va a necesitar.

Juan Cosa, regresando de su despensa-cocina, me tendía un largo vaso humeante y quemante. Esto no era «algo más de ron». Era ron puro.

— Bébaselo, doctor. Un solo trago, y ya está. Verá que en un minutito nomás se siente mejor.

Si hay un brebaje que me repugna es el ron. Lo encuentro hediondo y nauseabundo. Debe de ser un trauma infantil. Sin embargo, me zampé el vaso entero. No de una sola vez, claro, sino en tres o cuatro tragos. ¡Por Júpiter que el amigo Cosa tenía razón! Cuando le devolví el vaso empecé a sentirme mejor. Quizás simplemente me volví más eufórico, pero, bueno, es lo que ocurre cuando uno «se siente mejor».

En vez de expresar verbalmente mi satisfacción, guiñé un ojo y con el índice y el pulgar formé el círculo que quiere decir «Perfecto».

Después de lo cual, tendido yo sobre el sofá de cuero verde y sentado él en una de las sillas en torno a la mesa de formica blanca, sobrevino el clásico silencio embarazoso.

Era obvio (para mí, pero no para él) que esperaba encontrarlo aquí; ¿cómo, si no, me habría aventurado a pasar a estas horas y en estas desconcertantes circunstancias? Era seguramente obvio (para él, pero no para mí) lo que estaba haciendo en su local, con el martillo, las tablas, los maderos y los cascotes. Era obvio (para los dos) que necesitábamos un cambio de impresiones, y acaso también de intenciones, y que si no tenía lugar íbamos a seguir uno frente al otro indefinidamente.

Rompí el silencio agradeciéndole su visita al hospital hacía, ¿cuánto?, para decir algo hablé de «dos o tres días antes de la operación». Habíamos acordado en que me llamaría por teléfono a los dos días de la misma para saber cómo me encontraba, además de llamar al hospital el mismo día para enterarse del resultado —cosa que, dicho sea de paso, me hizo reparar en que Juan era, junto con un colega sociólogo medio loco de origen húngaro, uno de mis mejores amigos en el barrio—, pero, por supuesto, no lo había podido hacer, porque oficialmente me habían operado sólo aquel mismo día por la tarde y, de todos modos, ¿quién iba a ocuparse de operandos, por amigos que fueran, en medio del caos en que todo había quedado sumido después de la famosa alarma? Le recordé que le había dejado en custodia la llave de mi coche —«claro, claro, lo recuerdo, sí, la tengo, la tengo, aunque...»— porque el médico me había dicho que a los ocho días estaría lo bastante recuperado para andar por mi cuenta y pasar un mes de convalecencia en lo que llamaba «mi casa de campo de Pennsylvania», quería decir, por descontado, de New Hope, y no era una «casa de campo», sino mi domicilio, mucho más barato de lo que podría haber encontrado por acá, sin hablar de lo mucho más reposado y conveniente para mi tipo de trabajo: mucha lectura, mucho diccionario, pocas distracciones; el médico había agregado «durante un mes por lo menos no conduzca usted automóvil, para evitar accidentes», pero esto me lo había pasado por alto, porque me parecía una memez: en lo que toca a accidentes, eran mucho más de temer los innumerables vehículos con borrachos perdidos detrás del volante. En fin, estando a punto de anestesiarme sonó la alarma y me dejaron tendido en la sala y yo, etc., etc., etc.

No podía decir que Juan Cosa se mostrara indiferente a mi relato. Como cuando algo le interesaba mucho, tenía un aire concentrado y cejijun-

to. Además, asentía a menudo diciendo «Sí, sí...».
Pero su interés aumentó cuando inicié el relato de
mi propia escapada, con los detalles concernien-
tes a la bata blanca y a las zapatillas —«¡Oh, sí!
Ya veo, ya veo...»— y al deprimente (aunque su-
mamente interesante) espectáculo de los corredores y de la escalera, culminando con la descripción —pocas palabras, pero muy bien dichas— de
la batahola que se armó al hundirse un piso del sótano. Creo que murmuró «Pues como por acá,
doctor, no vaya a creer...», pero no estoy seguro.
El interés creció aún más cuando le hablé de lo
que había visto (y no visto) en la calle —¿de verdad no se topó con nadie? ¿Ninguna luz en los pisos bajos o en los entresuelos? ¿Está seguro, doctor?— y le expresé mi opinión de que aquel basural y aquella chatarra se debían en gran parte a
un saqueo. (¡Pues, sí, joder! —exclamó, dando un
puñetazo sobre la mesa— ¡eso es lo que ha pasado gracias a esos tíos jodidos!)
　　Iba a insistir en lo de la llave, y hasta me dispo-
nía a ofrecerle un asiento en el coche para venirse conmigo a New Hope «hasta que todo se acla-
re», cuando empecé a preguntarme si el singula-
rísimo comportamiento de Juan Cosa —¿a qué venía destruir su propio local para fabricar cascotes?—, así como su alusión a esos «tíos jodidos»
ocultaban otros hechos además de los que creía
conocer. Hasta el momento no me había cabido
duda (*The nukes! The nukes!*) de que había tenido
lugar una seria alarma nuclear —seria debía de
ser cuando no se había oído la menor contraseña,
aunque eso podía deberse a que los encargados de
avisar al público habían también huido—. En todo
caso, los grupos que hablaban de organizar el sal-

vamento de los sobrevivientes en el sótano del hospital lo dieron por descontado. La desolación en las calles y los signos de un intenso saqueo confirmaban tales presunciones; en estas circunstancias unos huyen despavoridos abandonándolo todo y otros pillan todo antes de huir. Cierto que aún no tenía muy en claro qué clase de peligro nuclear se cernía sobre nosotros. ¿Sería el «derretimiento» de alguna central nuclear? En este caso los mugidos de las sirenas no habrían producido la secuencia de los mugidos largo, breve; breve, breve, largo; breve, largo, breve, que equivale a NUC, sino la de largo, largo; breve; breve, largo, breve, breve, equivalente a MEL (*meltdown*). (Si las autoridades municipales esperaban que los millones de analfabetos de la ciudad se enteraran de lo que todo eso quería decir, les faltaba un tornillo. ¡Pero se enteraron! ¡Y cómo!). Entonces, ¿un ataque nuclear por parte de una potencia extranjera? Pero ¿qué potencia? Los rusos y los americanos se habían convencido de que era imposible disfrutar a la vez de cañones y mantequilla y decidieron dar prioridad a la última. Cierto que hay ya más de treinta naciones con, creo que así se dice, «capacidad nuclear», y algunas de ellas seguramente arden en deseos de mostrar su prepotencia, pero lo más probable es que se abstengan por lo que pueda venirles encima. Por otro lado, no pueden excluirse errores o descuidos. No hace tanto que una publicación respetable difundió el hecho de que sólo en este país el Cuartel General que se ocupa de la «Defensa (que debe de ser también Ofensa) Nuclear» había recibido en el curso de los últimos veinticinco años algo así como 687 alarmas que probaron ser falsas. ¿Por qué no suponer que otra potencia nuclear habría recibido, digamos 665 y que ahora, al iniciarse la primavera de 1992, se había producido la alarma número 666, y creyendo que *no* era falsa, había lanzado un ataque nuclear verdadero? Si eso era lo que realmente se temía y lo que las sirenas habían anunciado, ¡por Dios, Juan, venga esa llave y salgamos de aquí a toda velocidad!

Los «tíos jodidos» aludidos por Juan Cosa podían muy bien ser los responsables del inminente —pero ya bastante retrasado— holocausto nuclear. Pero mi amigo no solía apuntar tan alto. Más probable que se refiriese a los responsables del saqueo. Pero el modo como me miró al dar su puñetazo sobre la mesa me hizo pensar que debía de haber, como a él le gustaba decir, gato encerrado.

¿Qué clase de gato era? Mejor preguntárselo enseguida.

— ¿Ha pasado algo más?

— Doctor, ¿cuánto tiempo hace que no lee los diarios?

¿Cuánto tiempo hace que no leo los diarios? Pues bastante tiempo, la verdad. Desde el mes de diciembre he estado muy ocupado dándole la última (que va a ser, como siempre, la penúltima) mano a mi versión de Safo. También he empezado a meterme a fondo en el texto del *Apocalipsis* y, para entenderlo mejor, me he sepultado en una montaña de libros históricos, incluyendo varios publicados en torno a «los terrores del año mil». Además, cuando leo un diario dice siempre lo mismo que otro diario, aunque sea de distinta fecha. La última vez que recuerdo haber dado una ojeada a uno, durante una de mis visitas al doctor

Roach, seguía lloviendo sobre mojado: la campaña de los candidatos (siempre los mismos) a las convenciones de los dos partidos, la cuestión de la limpieza de las playas —desiertas desde 1990—, el obligado renacimiento anual de la música rock, la captura por la policía de un sinfín de toneladas de drogas, el SIDA, el déficit presupuestario, etc. ¿Estamos ya en 1992 o seguimos en 1988? Pues sí, amigo Juan, confieso que hace ya algún tiempo que no leo los diarios. O los leo muy, pero muy deprisa. Y la radio, ¿qué? Pues la radio, aún menos. ¿Y la televisión? Bueno, pues, mire por dónde, la televisión sí la voy viendo —menos la última semana, claro, que la pasé en la cama preparándome para mi operación y confeccionando mentalmente un estupendo «Prólogo» a mi *Safo de Lesbos. Sus versos y su leyenda*— no porque crea nada de lo que dicen los presentadores y las presentadoras, sino porque ahí todo es tan visual que estoy seguro de que los antiguos griegos la habrían adoptado con entusiasmo. Pero, ¡ahí está!, nunca puedo recordar nada de lo que he visto, o he oído, en la tele, porque todo —imágenes, palabras, sonidos, musiquillas— resbala por encima de mí sin dejar la menor huella. Como si fuera una ducha lenta y tibia. Quizás por eso me gusta.

Era obvio que Juan Cosa quería informarme de algo que yo ignoraba. Y que se daba cuenta de que la curiosidad me mordía. Además, ¿qué otra cosa podía hacer en mi situación de tullido provisional, con esa bata livianísima y esas zapatillas deshilachadas?

Juan no es el mejor narrador del mundo. A veces —pero ¿quién no?— se embarulla y pierde el hilo. O bien suelta de repente una palabra rara que luego resulta que no quería decir lo que quería decir, sino justamente lo contrario. En esta ocasión fueron las palabras 'milenarios' y 'miles', a las que parecía dar mucha importancia, los miles y milenarios por aquí y los milenarios y miles por allá, ¿no era razón para pensar que no había oído bien o que estaba hablando de otra cosa?

¡Milenarios, precisamente! La palabra que tanto se reiteraba en mis lecturas sobre los apocalípticos. Ahora sí que va de veras, ahora sí que se acerca el fin del mundo, ahora sí que se aproxima el juicio final, ¡que viene Jesucristo!, ¡que el Anticristo está al llegar!, etc. ¡El milenio, el milenio! ¿Cómo se le ocurría a Juan Cosa hablar de todo eso? Para empezar, la palabra misma milenario la usan sólo algunos sociólogos o algunos historiadores de las religiones. Es verdad que todavía hay muchas gentes —probablemente, más que nunca— que creen en la astrología, dicen con toda seriedad que son Libra o Scorpio o se refieren a Armageddon. Pero a nadie —y a Juan Cosa menos aún— se le ocurre llamarlos «milenarios».

Pero entonces, ¿de qué hablaba?

Para despejar la incógnita no había más remedio que confeccionar una hipótesis. Como en esto no soy nada lerdo, en un abrir y cerrar de ojos armé una.

Ésta: yo entendía 'miles' y 'milenarios', pero Cosa quería decir *millonarios*, probablemente con sus *miles* de millones. Lo que en el caso estaba muy en su punto. El dueño del RPPR no era ni mucho menos un revolucionario. Más bien un cauto conservador. Pero no era la primera vez que arremetía contra los que, para él, tienen mucho dinero. *Demasiado dinero.* Sospechaba que detrás de una gran fortuna, sobre todo si se había amasado de la noche a la mañana, asoma siempre una estafa mayúscula. «Uno no se hace rico trabajando honradamente», solía decir. De modo que sí, millonarios, eso debía de ser. Algo muy gordo habría ocurrido de que los «millonarios», esos «tíos jodidos», tenían la culpa y que había perjudicado a todos los «honestos comerciantes» del barrio. Tal vez un bajón descomunal, arteramente preparado, de la Bolsa, que habría dado al traste con los ahorros de «los humildes trabajadores» y habría malogrado los sudores de toda una vida. Un nuevo «Lunes negro», más negro que todos los Lunes negros ya pasados. ¡Sí, sí, algo así debía de ser! La gente se había rebelado contra esos robos planeados en lujosísimos despachos, y en el curso de su rebelión habría procedido a un caótico y caprichoso saqueo. Es sabido que las multitudes no discriminan y que lo primero que hacen para castigar a los culpables es volverse contra sus vecinos.

Apenas puesta en pie, la hipótesis se tambaleó. Para empezar, nada de eso tenía en absoluto nada que ver con alarmas nucleares. ¿A qué santo vendría que los «millonarios» tratasen de asustar al público con semejantes cataclismos? De las muchas hipótesis que he forjado durante mi vida, ésta era la más estúpida y descabellada. Y, además, resultaba cada vez más claro que Juan Cosa no decía 'millonarios', sino *mi-le-na-rios*, sí, señor, exactamente tal como suena, de modo que había que armar otra hipótesis, lo cual, después de todo, era más sencillo que tratar de interrumpirle y preguntarle, por ejemplo: «Amigo, por favor ¿ha dicho milenarios o millonarios, y de quiénes está hablando de todos modos?», porque Juan Cosa estaba absolutamente lanzado, echando chispas por los ojos, y no se le podía parar a riesgo de que, aun con todo el respeto que me profesaba, me mandase a la mierda.

Me ayudó a armar mi segunda hipótesis el calendario que estaba viendo desde el sofá: «1992: Año del Descubrimiento».

Además de su hincha a los que se hacían demasiado millonarios demasiado pronto, Juan Cosa les tenía ojeriza a todos los que ponían en duda los méritos de la «cultura hispánica» y en particular las «virtudes del idioma», una manía que se había atornillado en su cerebro especialmente el día en que, unos cuatro meses atrás, vio entrar en el bar a dos tipos inconfundibles, que habían subido hasta allá desde Wall Street, al parecer con el único propósito de burlarse de esa «cueva tercermundista». La disputa que se armó entre ese par de petimetres y Juan Cosa sobre «quién es más» y «quién ha hecho qué» fue de órdago. Nada de eso le impedía al mismo tiempo calificar a los españoles —los «españoles de España»— de «coños» y «godos». Pero entendámonos. Eso que hacen los italianos de celebrar el Día de la Raza como si fuera el «Día de Colón» es imperdonable. Pero si bien se mira, no tienen la culpa; al fin y al cabo, todos somos latinos. Lo malo son esos anglos que ahora, cuando estamos en pleno Super-Año, nada menos que el quinto centenario del Descubrimiento, con todos esos festejos y discursos, nos van a fastidiar proclamando otro «Descubrimiento de América», ese puramente fantasioso, que tuvo lugar quinientos años antes del «Descubrimiento verdadero», es decir, en 992, o sea, hace mil años y que se debió, eso dicen, a unos vikingos, piratas y nada más que piratas, de modo que, según los tales anglos, los españoles no hicieron nada que no estuviera ya hecho, ya, salvo, por supuesto, saquear —¡ah, ah! *saquear*— el oro y la plata de los pobres inditos, ¡como si los pielesrroja lo hubiesen pasado tan bien! Por eso hablan del milenario —el del «Verdadero Descubrimiento de América», se entiende— como si mil años fueran más que quinientos y lo único que importara fuera el número más bien que la «verdadera cultura»...

Dijera millonarios o milenarios, Juan Cosa se iba exaltando y aumentando el número y vigor de sus puñetazos. Empecé a sospechar si no había sufrido un grave trastorno mental con el susto mayúsculo de la alarma, la probable estampida de parroquianos y peatones, el casi seguro saqueo de algunas tiendas cercanas y el temor de ser a su vez asaltado y robado. Cuando me reconoció en la puerta se había manifestado tan efusivo como siempre y luego había hecho todo lo posible para que me recuperara, pero hubiera tenido que sospechar ya algo al verlo acumular cascotes. Eso solo podía hacerlo una persona gravemente perturbada. Sin poderlo evitar, me vinieron escalofríos. Nunca se sabe lo que va a hacer una persona en este estado.

Lo que más importaba de momento no era lo que realmente quería decir Juan Cosa, sino hacerle entrar en razón. Se me ocurrió recomendarle el mismo remedio que tan bien me había ido.

— Perdone, Juan, pero creo que le convendría beber algo. Un buen vaso de ron. Tráigame a mí un poco más, por favor. Lo que me ha contado es muy interesante. Fantástico; quiero decir, asombroso. Realmente, no sé cómo agradecérselo. Creo que me siento mejor y que es hora de irse todos para casa. En cuanto tenga la llave; supongo que usted se vendrá conmigo, etcétera.

No sé si mis palabras lo amansaron o si fue la mera idea de un vaso de buen ron. El caso es que sin contestarme se dirigió de nuevo a su despensita y al cabo de poco trajo dos vasos de ron llenos hasta los bordes. Me pregunté cómo me las compondría para tragarme un segundo vaso sin que me viniera un síncope, pero había que tomar un remedio heroico. Ahora me felicito de la decisión. Además, mi segundo ron no me cayó ni mucho menos tan mal como el primero.

Hay personas —soy una— a quienes el alcohol pone destempladas: palpita el corazón, se obnubila la vista, se ahueca la cabeza. Por lo visto, las hay a quienes les sucede lo inverso. De un estado dionosíaco —no pude evitar hacer mentalmente esta comparación— pasan a uno más o menos apolíneo. Tan pronto como Juan Cosa apuró, en tres recios tragos, su vaso, su talante cambió radicalmente. No más exabruptos o puñetazos sobre la mesa. De vez en cuando un asomo de fogosidad, pero sin salirse nunca de sus casillas. Cuando le interrumpía con preguntas o exclamaciones —«¡Pero, Juan, eso es increíble!», «No, no, debe de ser un bulo colosal»— no se alteraba, aunque tampoco respondía o trataba de aportar más hechos para demostrar que todo era la pura verdad. Seguía, imperturbable, con su relato, donde figuraba de nuevo prominentemente la palabra 'milenarios', pero no en el sentido de que se celebraran los primeros mil, o los primeros dos mil, años de ningún acontecimiento memorable, sino en un

110

sentido muy parecido al apocalíptico que nosotros, «los especialistas», usamos.

La cosa era perfectamente clara y transparente. Era también absolutamente manicomial.

Juan Cosa se encargó de echar prontamente abajo mis hipótesis. Los milenarios eran los milenarios «de verdad».

Sigo tendido sobre el sofá verde, con la misma bata y las mismas zapatillas y la misma sensación de haberme deslizado sin darme cuenta en un mundo a la vez confuso y fascinante —fascinante a fuerza de confuso— en cuya existencia no creería a no ser por esa luz que veo filtrarse por el ventanuco de la puerta, por ese amarillo chillón que parece querer taladrarme los ojos, por ese olor de amoníaco que despide el cuero bien frotado, por esas letras bordadas en el pecho izquierdo de mi bata y que resigo con el dedo, pasando, de derecha a izquierda, de la F a la R y de la R a la E... Aquí he estado durante un buen rato, tras despertar de lo que creí que había sido un sueño profundo, inspeccionar la «Salita íntima» y el «Salón General» y descubrir el aparatoso mueble de madera y la barra de zinc por los suelos con los cascotes falsamente amontonados en dos pilas gemelas. Aquí he estado preguntándome por qué estaba, olvidadizo al comienzo de todo, fantaseando, gozando de mis alucinaciones, divirtiéndome con mis quimeras hasta encontrar, de repente, a la luz de las palabras «invierno nuclear», el hilo que alguien, quisiera creer que la propia Ariadna, la hija de Minos y de Pasifaé, había dejado en un rincón de mi cerebro para que pudiera salir de este laberinto donde no hay modo de distinguir entre lo real y lo fantástico, lo que prueba que, a la postre, debe de ser real...

La sarta de los recuerdos termina, hasta ahora, con el relato de Juan Cosa. Todavía resuena en mis oídos su voz de bajo un poco cascada por el ron, el cansancio, el frío de la noche.

7

— No me va usted a creer, doctor, sobre todo si
es verdad que no lee los diarios hace tiempo, eso
me ha dicho, y le creo, porque tiene usted cosas
más importantes que hacer, pero aquí en el bar
hay que estar enterado de cómo va lo del béisbol
o lo del fútbol y a veces también los resultados de
las carreras y de la lotería y si uno no tiene los diarios, o no mira la tele, está perdido, nadie viene a
tomar una colada. Bueno, no quiero decir que todos los diarios se ocuparon del asunto desde el primer día; los importantes desde luego no, debía parecerles que no era bastante serio, pero los demás,
que son los que lee todo el mundo, casi no hablaron de otra cosa desde el viernes, 13, cuando fui
a visitarle al hospital, hubiera sido mejor otro día,
ya lo sé, y usted me ha dicho que no hay que ser
supersticioso, pero yo, por si acaso, hay cosas que
no hago, como pasar por debajo de una escalera
o tocar un gato negro. Además, habría podido pasar más tarde si me hubieran dicho antes que ha-

bían retrasado la operación casi una semana para hacer unas pruebas, pero cuando me lo dijeron me alegré por usted, doctor, es verdad que me dijo que le fastidiaba mucho tener que quedarse en el hospital tanto tiempo, pero, mire, a un primo mío también tenían que operarle y le hicieron unas pruebas y resultó que ya no era necesario, podía usted haber tenido igual suerte.

No sé si vio usted los diarios que yo llevaba bajo el brazo, un fajo grande, con unos titulares enormes, supongo que no, porque me habría preguntado algo, pero a lo mejor tampoco aunque los hubiese visto, porque se le notaba algo preocupado, doctor, y yo creía que era por lo de la operación, pero resultó que era por esos papeles que me dijo que estaba escribiendo, y hasta recuerdo que me dijo que hubiera tenido que hacer copias de todos los que tenía en su casita de New Hope, porque si se extraviaban y le pasara algo serio, Dios no lo quiera, bueno, pues se perdería todo ese trabajo y sería una lástima, seguro que sí, doctor.

Los titulares estaban en primera página, de arriba abajo, y decían cosas así como «Milenarios en Manhattan», «¡Llegan los miles!», «Dos miles se entrevistan con el Alcalde», «Tomarán rehenes si no satisfacen demandas», «Represalias si el público no obedece» y todo por el estilo, aunque luego uno buscaba las páginas de dentro y sólo había bobadas, era como con la gente famosa, que dicen que se van a divorciar y luego resulta que ni estaban casados, pero esto, no sé, a mí por lo menos me parecía más serio aunque hubiera sido mentira, lo de los rehenes siempre acaba mal, y al día siguiente hasta el alcalde intervino y desmintió que hubiese visto a ningún mile, que eran embus-

tes de los periodistas y que aquí, gracias a Dios, todavía no se tomaban rehenes. Mejor que la gente
se preocupara por cosas importantes, como la basura, que la habían devuelto de Angola y ahora,
con esas noticias sensacionales no la iba a querer
nadie porque dirían que estaba contaminada. El
mismo día uno de los candidatos a la Presidencia
que había venido a hacer campaña en Nueva York
dijo que era una vergüenza que se hablara de cosas tan estúpidas, que el único problema importante era el déficit y que él iba a resolverlo y no
unos miles que nadie sabía cómo eran ni de dónde venían. También, el mismo día, hizo declaraciones ese predicador que se ha hecho tan rico en
la televisión, no recuerdo ahora el nombre, pero
usted ya sabe quién es, doctor, una vez se armó entre ustedes en la salita íntima una discusión sobre
si tendría éxito en la isla, y usted dijo que seguramente que sí, porque los de la isla somos como
todo el mundo, y nos tragamos cualquier cosa, y
aún más, bueno, el predicador dijo que si se hablaba tanto de los miles algo habría de cierto y
que cosas peores vendrían si continuaban los
abortos y no se respetaba la bandera. Pero me estoy desviando de lo que le quería decir, y tendrá
usted que perdonarme, doctor, porque han pasado tantas cosas, por lo menos por acá, y estoy tan
cansado de trabajar para que nadie pueda entrar
en el local y saquearlo, sobre todo por el sofá, ya
me comprende, que no puedo fijar bien las ideas,
pero todo irá saliendo, y voy a procurar contárse-
lo, quiero decir, lo que yo sé, lo mejor posible, y
ahora que tengo la oportunidad quiero agradecer-
le, doctor Arroyo, su amistad y lo mucho que me
ha ayudado a expresarme bien, usando palabras

escogidas, todo eso, claro, para las personas distinguidas, porque a los otros hay que hablarles de modo que le entiendan a uno, y quiero demostrarle que en esto soy un buen discípulo suyo, y que cuando digo cosas de allá, como chamaco o mopear, es porque si no no me entenderían, y lo mismo algunas palabrotas aunque recuerdo que usted me ha dicho varias veces que lo de las palabrotas no es siempre malo usarlas cuando conviene y que si se habla de mierda, bueno, pues no hay más remedio que decir mierda, y eso me alegra, y hasta me siento chévere cuando digo algo grueso, la verdad.

Aun así me extraña, doctor, que con todo el tiempo que ha pasado usted en el hospital nadie le haya dicho nada de los miles, con lo chismosos que son en esos lugares, siempre con las enfermeras cuchicheando y riéndose, y haciendo monerías a los médicos de guardia, o que no hubiera oído algo por la radio, o por la tele, por lo menos en los cuartos de los otros enfermos que las ponen tan fuerte, se oyen hasta dentro del ascensor, es un escándalo. Pero, bueno, es posible, porque al principio nadie creía nada de lo que decían de esos miles, tantas veces pasa que luego termina todo hablándose de otra cosa, es lo más frecuente. Mis parroquianos, casi todos, no los amigos de usted que no los había visto desde el martes, se reían a carcajadas de lo tonta que es la gente, se lo creen todo, y hasta hacían chistes, como de si me llama un mile dile que estoy en el cuarto de baño y que si quiere que lo cañonee pues que se baje el calzón, y otro dijo que estaba en el retrete escribiéndole una carta, ja, ja, ja, ja, que se la envío como paquete postal certificado, y cosas parecidas. Nadie hizo caso hasta por lo menos el lunes y eso fue porque el *New York Times* le dedicó una noticia en primera plana, pero aun así quedaban muchos incrédulos, sólo el martes comenzaron a alarmarse un poco porque fue noticia en todos los canales, claro no en los de MTV que sólo dan rock, de que los miles estaban cansados de que se les tomara en broma y que tenían en su mano unas armas muy mortíferas y que las usarían si no se obedecían sus instrucciones, aunque éstas no las conocía aún nadie y hasta el momento, la verdad, no habían dado ninguna. Lo que hicieron fue empezar a enviar notas y «comunicados», como decían, a todo el mundo, no sólo a los diarios, las radios y la tele, sino también a las Naciones Unidas y al gobierno, y dijeron que si no satisfacían sus demandas iban a tomar represalias y que iba a sufrir toda la población, culpables e inocentes, aunque hoy no hay nadie inocente, eso lo repetían muchas veces, parecía que les interesaba mucho, y por eso ellos iban a encargarse de, eso también venga a machacarlo, purificar el mundo y prepararlo para lo que iba a venir pronto, y que con esto no hacían más que obedecer las órdenes de Dios, y no era sólo Jesucristo, no, sino también Moisés y Mahoma y no sé cuántos más profetas y sabios, igualmente de la China y de la India, aunque los nombres de estos últimos no los recuerdo bien, ni nadie en la calle parecía haber oído hablar de ellos excepto Míster Singh, el propietario de la Indian Reservation, dos puertas más arriba, que dijo los conocía a todos, por lo menos los de su religión, y que podíamos preguntar a Míster Chen, el del Restaurante The East Village Sezchuan Garden que también parece está muy versado en esas cosas del Oriente, y que podría certificar que los miles no mentían, aun así le diré que mucha gente seguía bromeando y que sobre todo en algunas radios y canales de la tele empezaron a hablar de la espantada que hubo aquí en el año treinta y ocho cuando anunciaron la guerra de los mundos y que los marcianos habían aterrizado en New Jersey o en los alrededores y cosas terroríficas, de modo que esto era como entonces sólo que diferente porque lo de la guerra de los mundos ya se lo sabía todo el mundo de memoria y hasta se había dado en una versión con muchos láseres y cosas que no tenían en 1938.

De todos modos, ya iban quedando menos que se lo tomaban en broma, pero seguramente era porque la amenaza de los miles coincidió con una película de mucho éxito, *T.T.*, como la llamaban, *Total Terror*, y lo hicieron así para hacer la competencia a *E.T.* El Extraterrestre, que todavía se proyectaba después de tantos años, y se vendía la cassette horrores, en la película, quiero decir la del terror, se presentaba a una ganga, perdón, a un gang como los que se han visto en las películas de James Bond, pero todavía más secreto, con mucha más gente y mejor organizada porque tenía, además, muchos contactos con gentes de los gobiernos, todos los gobiernos del mundo, o casi, americanos, claro, pero también rusos, irlandeses, alemanes, libios, palestinos, japoneses, etc., en fin, prácticamente todos, de modo que no se podía distinguir entre los buenos y los malos, y muchos de los que estaban encargados de eliminar a la ganga, policías y demás, tenían puestos muy importantes en el gobierno y les era fácil avisar a los miles cuando había peligro. En fin, todo el mundo estaba de acuerdo en que la película quería demostrar que aunque no había muchas guerras, y eran siempre en otros países, y los que tenían más armamento atómico habían decidido no usarlo, o usarlo poco, todavía podíamos volar todos por el aire si había alguna banda terrorista como la que presentaba la película, todo eso no era muy distinto de los miles y había gente que se preguntaba si esos mismos miles no estaban detrás de la película y habían querido meter miedo antes de dar su golpe, todavía no decían en qué consistiría, sólo que, por lo visto, lo iban a dar aquí, en Nueva York, aunque también en la televisión decían que en otros países había habido amenazas y que se estaba preparando algo muy parecido, de modo que iba a ser mundial como las Olimpíadas. Nueva York es importante, claro, pero hay otras muchas ciudades donde podrían morir millones, figúrese que nada más que en México City hay más de veinte, veinte millones quiero decir, y creo que en Toquío y en Shangai hay también muchísimos, pero, en fin, lo que preocupaba a la gente es lo que podía pasar aquí, es natural, lo otro está muy lejos.

Al principio casi todo el mundo creía que esos miles los llamaban así porque eran una especie de monstruos que habían vivido más que nadie, algo así como unos Matusalenes que tenían mil años o más y que ahora habían salido de repente, quién sabe de dónde, se habló primero de unas cuevas enormes muy profundas en las que hay inclusive un sol y unos planetas, pero eso era demasiado fantástico para que nadie se lo tragara y, además, no ligaba bien con los lugares de donde vienen los ufos, que es algún planeta desconocido, de todos modos son siempre iguales, verdes, feos, con unas antenas terribles, aunque en algunas películas, como *E.T.*, que había salido antes de *T.T.* era lo contrario, presentaba a los alienos como unos tipos buenísimos, parecían niños, y ayudaban a otros niños, pero en general no es así, son horrorosos, todos cubiertos de escamas como los cocodrilos, o todos babosos, y con muchos ojos repartidos por la cabeza, incluyendo detrás para así poder ver mejor lo que pasa a su alrededor. A casi todo el mundo esas películas les gustan horrores y se pasan la noche pegados a la tele para ver si aparece algún monstruo todavía más feo, es increíble lo que disfruta la gente con el miedo, claro que ya saben que no es verdad... Bueno, si esos miles tenían mil años debían tener la cara muy arrugada y ser aún más feos que todos los demás que se ven en el cine o en la televisión, pero pronto se aclaró que no se les llama miles porque tenían mil años o aún más o habían vivido muchos siglos congelados en los frigoríficos de los ufos antes de llegar a la tierra, sino porque ellos mismos habían usado este nombre, que debía parecerles más corto que el que realmente tenían, y ése era el de milenarios, que es como desde ahora los voy a llamar, y el nombre se debe a que creían que cada vez que se acercaba un año que hacía mil, el mil o el dos mil, se iba a terminar el mundo y vendría el juicio final. Y como ya no faltan más que ocho años para el dos mil, decían que había llegado el momento de prepararse, hacer penitencia y cosas parecidas. Uno de los que asisten a la tertulia me dijo que usted, doctor, sabía mucho sobre esta gente, lo que me extrañó, porque hasta ahora no le he oído hablar nunca de eso, pero él, Felipe Ramos, el medio cojo, ¿se acuerda?, insis-

120

tió en que usted había hablado de eso varias veces y hasta que había dado una conferencia en NYU sobre unas gentes, no ahora, sino hace muchísimo tiempo, que se creían esas cosas, es posible, le contesté, pero el doctor Arroyo no se mete en vudús, de modo que debía ser otra gente muy distinta, y en lo único en que se parecen es en el nombre. Además, cuando le pregunté más a Felipe Ramos me respondió que los milenarios que le interesaban a usted, doctor, eran todos unos cristianos muy devotos, mientras que los miles de que ahora se hablaba eran una mezcla de cristianos, judíos, musulmanes y hasta parece que chinos y japoneses, ya lo dije antes, pero esto es muy importante, porque ellos mismos, los milenarios, decían que no había que confundirlos con los de las sectas que vuelven a bautizarse y que Dios es el mismo para todo el mundo sólo que adopta distintas formas, eso ya me lo había dicho Míster Singh mucho antes de que salieran los milenarios, pero debía de ser otra cosa, porque esos dioses que eran uno solo en varias formas no venían nunca a la tierra para juzgar a nadie ni creían que el mundo se iba a terminar en mil años o en mil millones de años, creían que iba a durar siempre, ojalá, y que si desaparecía volvía a nacer tantas veces como era necesario, ya nos gustaría que fuese así. Si quiere que le diga la verdad, doctor, ni yo ni ninguno de mis parroquianos o mis vecinos en la 12 sabían de qué se hablaba con eso de los milenarios, sólo que parecían tener mucho poder y que eran unos fanáticos.

Tampoco debían saber gran cosa en la tele, porque continuamente salía gente muy importante que gastaba muchas palabras y hasta señalaba con un puntero un mapa para decir lo que eran esos milenarios, o de dónde podían venir, casi siempre por allí en esos países árabes tan revueltos, pero realmente no explicaban nada, y además no debía ser verdad, porque los mismos miles habían dicho que no tenían lugar fijo y que estaban en todas partes como Dios, hasta en el Japón y la China, de modo que los comentaristas terminaban por decir sólo que los había habido antes, y por eso, doctor, Felipe Ramos insistía en que usted sabía más que nadie del asunto y hasta que debía llamarle al hospital para preguntárselo, pero yo no me hubiera atrevido nunca a hacer semejante cosa, estando, además, enfermo o a punto de ser operado, que es lo mismo. Lo único que quedaba claro era que se acerca el año dos mil, lo que todos sabemos, está en todos los calendarios, y además habrá otra vez elecciones, y hasta se habla de quiénes van a ser candidatos, y que el año dos mil, bueno, pues va a ser el milenario, el segundo, y que según algunos algo gordo tiene que ocurrir en una fecha tan señalada, y no podía ser otra cosa porque todos, no sólo los de aquí o de la isla, sino en todo el mundo, hemos caído en el pecado y merecemos el infierno, especialmente con todo lo de las drogas y los abortos, y puede ser, doctor, no lo niego, y a mí, ya lo sabe usted bien, no me gusta nada ver tanta gente que traquetea y se mete en drogas, y si quiere que le sea franco tampoco me gustan mucho los transformistas y cuando veo a uno lo echo del local, pero de eso a destruir el mundo, hasta los niños, pobrecitos, va para un buen rato. Lo que sí habría que hacer, y en esto estoy de acuerdo, es mandar a la poli que meta en la perrera a todos los ladrones y atracadores, hasta no me opondría a que se le espetara un tiro al que saquea una tienda que no es suya.

Pero los milenarios no hacían distinciones y decían que todo iba mal y que nada de distinguir justos y pecadores, los justos que paguen por los pecadores, y hasta afirmaban que no hay nadie justo, todos somos pecadores y tenemos que hacer penitencia para evitar que el mundo se termine. La verdad es que no se veía bien por qué para evitar que el mundo se termine decían que lo iban a acabar ellos, pero ésa es una de las cosas que nadie acababa de entender y los comentaristas tampoco lo explicaban, ni de lejos, la mayor parte concluían que eran unos locos, que eso no había que ser comentarista en la radio para saberlo.

Perdone, doctor, que algunas veces me aparte de lo que quiero contarle, pero todo parece ser importante y especialmente lo de la penitencia, como verá.

Bueno, pues, los milenarios, en sus declaraciones (aunque nunca apareció ninguno de ellos, todo era muy anónimo) y en los comunicados, que ya los enviaban al final cada hora, dijeron que no había que alarmarse, que no pasaría nada si la gente hacía lo que iban a mandar, y esto era que toda la población de la ciudad (aunque de momento sólo Manhattan, los otros barrios recibirían instrucciones más tarde), que toda la población, digo, tenía que concentrarse en Central Park un día que ellos fijarían y que ya sería muy pronto y que se prepararan. A las seis de la mañana, nada menos, de modo que tenían que empezar mucho antes para estar listos para el desfile. Lo que le digo, doctor, no miento, dijeron que a las seis clavadas tenían que empezar a desfilar, saliendo por Columbus Circle, Broadway abajo hasta llegar a la calle 14, figúrese. De allí tendrían que ir torciendo hacia la derecha en dirección a los muelles, y sólo entonces podrían dispersarse y volver a sus hogares o de donde habían salido. Todo a pie, claro, no se permitiría ningún vehículo y desde luego aquel día no habría ningún tráfico, ni metro, ni nada, ni siquiera ambulancias o bomberos. Algo así como lo de Macy's en la Quinta Avenida por Thanksgiving, pero sin Mickey Mouses y balones para los niños, nada de jolgorio, todos serios y con los ojos clavados al suelo. No decían nada de lo de comer o beber o hacer sus necesidades, parecía que estas cosas no les preocupaban nada, como si todos fuéramos ángeles. Una especie de procesión como esas que celebran los españoles por Semana Santa, lo he visto en la tele, pero sin llevar en hombros santos ni vírgenes, sólo muchas pancartas en blanco, la pureza decían, con letras muy grandotas diciendo «Nos arrepentimos», «Se acerca el fin del mundo», «Listos para el juicio final», «Merecemos la destrucción y el fuego» o cosas de este estilo, en inglés o en cualquier otro idioma, esto no les importaba, desde luego, sin cantar ni tocar guitarras, todo lo contrario, deberían estar completamente silenciosos, en filas de diez, separada cada una de la otra unos tres pies, en eso sí que daban muchos detalles, como si fuera más importante que mear.

Cómo iba a caber tanta gente en Central Park y cómo iban a llegar todos para estar listos a las seis en punto era para no creerlo, pero los milenarios dijeron que eso no era problema y que todo lo resolverían a su tiempo los jefes de cuadra, que serían los que organizarían a la gente de cada bloque y que esto había dado muy buenos resultados con los comunistas, lo que indignó a mucha gente que creyó que los comunistas estaban detrás de todo eso, pero ellos lo negaron enseguida diciendo que no podían ser comunistas porque creían en Dios, y eran los sirvientes de Dios, que no es nada comunista. Lo de los jefes de cuadra era sólo un modo de organizar bien el desfile para que Dios estuviera contento y no se vengara ni ahora ni el año dos mil, los llamaban, mire por dónde, *blockheads*, que todos sabemos que quiere decir tontos, o sea los que tienen las cabezas muy duras, como de piedra o de madera, pero eso no parecía molestarles a esos milenarios, que sólo se interesaban en su desfile y en que iba a ser el único modo como podría evitarse la venganza divina, por lo visto estaban en directo con Dios, como en la tele, y eran los encargados de imponer el castigo si no se les obedecía sin chistar, no paraban de decir cosas rarísimas. Lo de los jefes de cuadra, tenía que haber por lo menos uno o dos por cada cuadra, y si los edificios eran muy altos, hasta cinco o seis, eran todo gente de confianza, ya los iríamos conociendo y se identificarían con las letras BH en sus gorras, al principio se creyó que iban a ser todos hombres, pero advirtieron que habría también mujeres y que llevarían las mismas gorras, nada de sexos, que esto decían que era el mayor pecado, como si a uno no se le parara nunca, perdón, doctor, por la referencia.

En todas estas instrucciones, y venga y venga, los milenarios no parecía que al principio tenían en cuenta para nada a la gente que están sólo de paso o sin domicilio fijo, en hoteles o casas de amigos, y no digamos los que están en las cárceles y en los hospitales, como usted precisamente, doctor, lo digo por lo de los hospitales, claro, y los que viven en las calles o en las estaciones de tren o de metro, que son muchísimos, cada día más, y se me ocurre que también los tullidos o los paralíticos, y hasta los niños de teta. Bueno, pues, doctor, no lo va usted a creer, pero al final también hablaron de ellos. Los sin domicilio se concentrarían al final, ocupando todo Morningside Park y todo el trecho de Central Park, entre la 107 y la 110, no sé cómo podían saber si cabrían todos allí o si sobraría espacio, pero supongo que algo calcularían, luego vendrían los visitantes o la gente de paso entre la 107 y la 98, los demás, el resto, con sus jefes de cuadra, hasta la calle 59. Tendrían que empezar a concentrarse ya el día anterior para estar todos listos a las seis de la mañana. Los tullidos o imposibilitados podrían quedarse en casa, y también los de los hospitales y los muy pequeñines, con la madre o el padre, pero nadie más de la familia, prohibido. Había otras instrucciones, muchas, que no recuerdo, pero era todo como muy militar, ordeno y mando.

Hasta la gente más crédula, y más influida por las películas y las noticias sobre los alienos, se rió de todas esas bobadas.

Yo, si quiere que le sea franco, doctor, no estaba muy seguro de que todo no fuese un bromazo. No creo absolutamente nada en ufos, alienos o nerdos, ¿qué me dice usted si no hay que ser carajón para tragarse eso de que Dios envió un mensaje a un satélite artificial ¡y, encima, ruso! para declarar que el cielo es de su propiedad y ya está harto de que se lo violen, como leí el otro día en no sé qué periodicucho? No me parece nada mal, eso no, de que Dios reclame el cielo, porque es suyo y bien suyo, pero eso de enviar un mensaje con voz de barítono, como decía el diario, ni los isleños más tontones se lo creen. Es como el niño de tres años que volvió de allá arriba y empezó a contar historias de lo que pasaba. Ya sé que hay tipos listísimos capaces de hacer mamar cualquier pendejada a lo mejor para luego anunciar una Pepsi y que todo el mundo compre, pero eso de que unos tipos se comunicaran tan bien con diarios y radios, eso, mire usted por dónde, me olía a muy quemado. No podía ser todo mentira. Se lo dije a Felipe Ramos, que era el que más se interesaba en asuntos de miles, y me contestó que estas cosas habían pasado ya antes aunque sin diarios, y que en el año mil había habido muchos muertos y plagas, y que ahora, con tantas noticias por todas partes, podía ser peor e insistió en que usted, doctor, era el que sabía más de todo eso, lo decía por lo de su conferencia en NYU. Además, que lo de la secta extendida por todo el mundo y con mucha influencia sobre políticos y gente importante, no era ni siquiera una novedad, porque había leído en una revista muy seria que en un lugar muy apartado, una isla con nombre de animales, se habían reunido varios personajes importantes de una multitud de religiones y habían concluido que había que terminar con las divisiones entre ellos y unirse los más creyentes para defender a Dios y la familia, bueno, no sé si era eso exactamente, pero por ahí iba. Parece que muchos políticos influyentes, incluso de los países comunistas, se les habían unido o habían prometido ejercer influencia en favor de una campaña en todo el mundo que llevara otra vez a la gente a las buenas costumbres. Aunque en la revista no se decía, eso debían de ser los milenarios, porque justamente, todo según el autor del artículo, habían hecho un pacto para traer pronto lo que llamaban un nuevo orden o un nuevo mundo, o algo por el estilo, a empezar desde el año dos mil, de modo que había que ir preparando a la gente. Si eso no eran los milenarios, que se lo cuenten a otros más listos que yo. De modo que nada de bobadas, ni mucho menos. Puede ser que en lo del desfile se hubiesen excedido y pareciera ridículo, pero algo debían de tener en la molleja y si no, no se entiende por qué tanta insistencia.

De modo que yo, y creo que también Felipe Ramos, estábamos con el oído atento, seguros de que iba a pasar algo importante y de que esos milenarios no se quedarían contentos con sus anuncios y comunicados y que lo que seguramente debía pasar es que estaban furiosos por no hacerles caso y reírse de ellos.

Y, sí, señor, así era.

El mismo martes por la noche ya hicieron anunciar en la televisión —¿quién puede dudar de que tenían compinches en todos los canales?— que si seguía la incredulidad y la broma y la gente no empezaba ya a prepararse para cuando se fijara la fecha del desfile, tomarían serias represalias, y que había llegado el momento de decir en qué consistían, y era que en cuatro distintos puntos de Manhattan, no decían dónde, claro, ni siquiera si estaban juntos o muy separados, habían hecho colocar cuatro bombas atómicas como las que los americanos habían lanzado sobre los japoneses casi al final de la guerra y que causaron tantos daños, pero que eran dobles —de «potencia explosiva doble» afirmaron varias veces—. Ahora había bombas muchísimo más potentes, de hidrógeno, y éstas también las tenían, un montón de ellas, pero no era necesario más, bastaba con, no recuerdo ahora exactamente el número, pero creo que era algo así como dos cinco, veinticinco «quilotones». Esto bastaría para reducir Manhattan a cenizas, sobre todo si explotaban en sus escondites, a ras de suelo; en el aire habría más radiaciones y todo el mundo moriría de cáncer, pero con los impactos de las explosiones de esas «bombitas» —sí, doctor, así las llamaron— habría más que suficiente para arrasar con todo, o casi; bueno, no quiero extenderme más sobre estos aspectos, que son muy técnicos, pero los comentaristas que saben de esas cosas confirmaron que, en efecto, con las cuatro bombas indicadas se produciría una hecatombe terrible, y que no sólo alcanzaría a Manhattan, sino también a los otros barrios y hasta a una parte de New Jersey. Una verdadera catástrofe, mucho peor que un tornado.

Bueno, ¿quiere usted creer, doctor, que casi todo el mundo recibió estas noticias a risotadas y que todos los canales de la tele por la noche estuvieron llenos de cómicos poniendo a los milenarios en ridículo y diciendo que ya sabían a qué iba a parar todo eso, al anuncio de un purgante que, bueno, doctor, no quiero repetir esas bromas pesadas, y que casi todas eran, además, de un gusto pésimo ya que las acompañaban con ruidos que querían imitar gigantes echando pedos antes de ir al retrete. Ya sabe usted cómo son esos cómicos: unos mal educados. Esto duró toda la noche del martes y parte de la mañana del miércoles, cuando —y si alguien niega que tenían muchos agentes en todas partes, miente descaradamente— todas las estaciones de radio y canales de televisión, seguidos muy pronto por ediciones especiales de la prensa, informaron que los milenarios habían enviado a las autoridades, sobre todo a la policía y a los federales, un «parte», como en las guerras, afirmando que si había dudas de que decían la verdad, que se trasladaran a cierto lugar, no decían al público dónde, pero las autoridades sí lo sabían por haberse mandado noticia cifrada. Con todo esto algunas gentes comenzaron a alarmarse de veras, porque nadie tiene ese desplante si no sabe que todo está bien atado, no sé si me explico. El caso es que a primera hora de la mañana empezó a filtrarse la noticia de que un grupo de especialistas en atómicas se había trasladado a cierto lugar, que resultaba ser Grand Central Station y se había dirigido a un sótano donde estaba un almacén que había servido para guardar ruedas de tren, pero que ahora estaba abandonado y por el que todos los empleados pasaban de largo, porque muy cerca había unos tubos de desagüe, realmente cloacas, llenos de moho y que olían a orines y a ratas muertas. Bueno, para los especialistas no era cuestión de hacer ascos, sino de comprobar si había o no alguna bomba atómica.

Pues, sí ¡ahí estaba! Tal como la habían anunciado. Una bomba atómica parecida a la que se había lanzado sobre los japoneses hacía casi medio siglo, pero mucho más pequeña y potente, con todos los adelantos modernos y con un computador que podía funcionar con un control remoto, que es el que había de servir para dispararla cuando se quisiera, todo eso lo explicaron varios sabios

130

que examinaron el artefacto y dieron instrucciones para desmontarlo.

Aunque hubiera debido guardarse silencio sobre todo eso para evitar el pánico, imposible con la nube de periodistas y fotógrafos que, según se vio luego en la televisión, se abalanzó sobre los especialistas tan pronto como salieron del escondite con las caras tan alargadas que ya ni era necesario preguntar si tenían algo que decir, pero de todos modos se les preguntó y contestaban «Sin comentario», lo que era prueba de que tenían algo que decir, pues hasta los más tontos saben que entonces hay que decir sin comentarios. Cómo los fotógrafos y los periodistas llegaron a saber que todo eso ocurría en Grand Central y que allí habían ido los especialistas parecía un misterio, pero no para mí, doctor, porque ya me parecía indudable que esos milenarios tenían amigos en todas partes. Así que por la mañana del miércoles empezaron a difundirse las noticias de que la cosa iba en serio y de que esos milenarios no eran inventados y que tenían mucho poder e influencia en todas partes y disponían de medios para obligar a todo el mundo a hacer lo que ellos mandarían, que por el momento era sólo que la población entera desfilara por Broadway abajo llevando esas pancartas tan ridículas, pero vaya usted a saber lo que iban a pedir más adelante. Con estas noticias de la bomba verdadera se armó un revuelo de todos los diablos, y desde el mediodía del miércoles empezó todo a descacharrarse, con la gente abandonando el trabajo, la bolsa cerrada, y en las calles una multitud formando grupos y discutiendo, yo hasta me llegué a Washington Square para verlo. Se ve que en los hospitales no pasaba así y que seguían cuidando enfermos, o si no, doctor, no lo habrían atendido y llevado a la sala de operaciones, y a lo mejor también seguían trabajando los bancos, aunque éstos cierran cada dos por tres, pero los demás debían de estar todos fuera, drogados y borrachos incluidos.

Algunas estaciones de radio y cadenas de televisión empezaron a protestar de que las autoridades no se habían ocupado bastante de este asunto tan serio, aunque a mí me parece que sí se habían ocupado, y hasta demasiado, y que hubiera sido mejor dejar a las autoridades encargarse del asunto en secreto y llegar a un acuerdo con esos terroristas, que todo el mundo los llamaba ya así, no podía ser que los federales no conocieran a algunos, tienen fichas y huellas de todo el mundo, hasta del extranjero. No sé, pero se les podía haber ofrecido alguna cosa a cambio de revelar dónde estaban las otras bombas, eso por el momento y luego ya se vería lo que se podía hacer para mantener el orden. Pero ahora debía de ser ya demasiado tarde, sobre todo cuando las mismas estaciones y canales que se habían burlado tanto de los milenarios podían tomar medidas para que se encontrasen algunos por lo menos, no todos, claro, porque debían de ser bastantes, y una vez en los precintos se les hiciera confesar, aun si era con torturas, pero en estos casos no hay más remedio. En fin, doctor, que así empezó lo que nos ha llevado a las destrucciones y a los saqueos, que para eso no se necesitaban los milenarios, aunque para mí que algo debían de tener que ver con todo eso y a lo mejor era lo que querían, apoderarse de lo ajeno, y para eso tenían su bomba, que era seguramente la única, y las otras tres eran falsas y no se las podía hacer explotar, hasta me pregunto si la bomba de Grand Central era una bomba verdadera, pues muy bien podría ser que algunos de los especialistas estuvieran metidos en todo eso y dijeran mentiras, haciendo ver como que desmontaban la bomba cuando en realidad eran unas cuantas piezas de metal, uno no sabe ya lo que es verdad en estos tiempos...

Lo que hicieron las autoridades fue nada, como de costumbre, o peor, y era anunciar que había un gran peligro, una emergencia tremenda, como si todo el mundo no supiera lo que había pasado, coño, con perdón, pero hay cosas que no las aguanta nadie. No dieron muchos detalles, pero, eso sí, hablaron de que si no había cambios, ¿qué cambios, doctor? le pregunto, en los próximos días quizás, siempre «quizás», nunca se habla claro, habría que evacuar la ciudad y con esto empezaron a indicar las rutas que llaman de emergencia, desde luego el Holland Tunnel, aunque realmente no sé cómo podían pensar en semejante cosa; el túnel se llena en un momento hasta en los días de la semana y a las cinco de la tarde no cabe un alfiler. Sobre todo recordaron lo que se había decretado hacía ya tiempo, creo que unos años después de la guerra, cuando todo el mundo creía que iban a venir los rusos, pero que antes de llegar iban a lanzar unas cuantas bombas atómicas para que no resistiéramos, ¡como si alguien tuviera ganas de resistir a esos bárbaros! Era lo de que había que aprovechar todos los sótanos y el metro para refugiarse y protegerse contra los rayos que producen cáncer, y eso había que hacerlo tan pronto sonara la alarma, ya se había olvidado en qué consistía tal alarma, pero todas las estaciones se encargaron de recordarlo diciendo «esto es una prueba» y luego haciendo sonar los pitidos que correspondían a letras, y después diciendo que había sido una prueba, pero que algún día podría ser verdadera, y entonces no se diría que era una prueba. Todavía me suenan en la cabeza esos pitidos, unas sirenas espantosas que con sólo oírlas ya le entraba a uno un miedo cabrón, como decimos.

Nadie pensaba en que nunca sonaría ninguna alarma, quiero decir en serio, y hasta después de tanta excitación todo el mundo volvió al trabajo esperando que las autoridades se iban a decidir a hacer algo, por fin. Se empezó a correr la voz de que lo de los milenarios no era tan seguro, que todo eran cosas de los políticos que son mucho más fáciles de resolver, sobre todo estando las Naciones Unidas a un paso. Ya sabe usted, doctor, cómo es la gente; a las pocas horas, se les olvida todo, porque sale otra cosa que les parece más importante, y esto fue un tema del que se había ya hablado antes, pero que volvió otra vez y era el de si había que modificar el reglamento del fútbol y en vez del aviso de los dos minutos antes de terminar el partido no tenía que haber dos avisos, uno cada minuto, porque se había visto que el marcador podía cambiar mucho en los momentos finales, ya muchos ni se acordaban de los milenarios y de sus bombas, eso pasa muchas veces, no sé si los libros dicen que la gente cambia cada dos por tres, pero aunque no lo digan los libros, es verdad, ya sé, doctor, que usted lee muchos libros, pero no creo que digan mucho sobre eso, porque son de poetas y cosas de otros tiempos. Bueno, pues cuando pareció que todo volvía a lo normal y era el final de este asunto, pues no, volvió, a media tarde empezó a sonar la alarma, no, nada de anunciar antes que era una prueba, sino sin anuncios, sólo las sirenas que las podían oír hasta los muertos.

En el local no había más que dos clientes, uno, ya lo conoce usted, era Pepe Corrales, que es uno de los de la salita íntima de los martes, pero que pasa por aquí a menudo por las tardes antes de ir a casa, y el otro era alguien que no conocía ni había visto nunca, un tipo bastante de color, pero como indio y muy mustio, había pedido una botella entera de bourbon, Old Hickory, los nombres de las bebidas no se me olvidan nunca, y ya se había servido dos vasos, yo a esos puntos les tengo un poco de miedo, porque se espantean muy deprisa y arman camorra por nada, de modo que lo estaba vigilando pero sin que se diera cuenta, porque esos tipos si no salen por las malas van muy bien, consumen mucho y se les puede cargar cualquier cosa, aun te lo agradecen. Pero no hubo tiempo para la vigilancia ni para continuar hablando con Pepe Corrales que, no sé lo que usted opina, doctor, pero es un poco lento y tarda años en terminar una frase. No sabía bien de qué estaba hablando en aquel momento y aun de saberlo se me habría olvidado enseguida, pero tampoco lo oía muy bien, porque los pitidos de las sirenas casi me rompían los oídos. A Pepe no hubo que decirle nada, porque se fue casi enseguida y estoy seguro de que se metió de cabeza en la boca del metro más a mano. Al tipo mustio le costó un poco más irse, porque no parecía haber oído nada, sordo como una tapia y, además, sin entender el inglés ni el español ni nada, como si fuera coreano.

135

Le señalé la botella con un dedo y él que la coge y deposita uno de veinte sobre la barra, no podía quejarme. Yo, la verdad, no tenía mucho miedo, más bien estaba molesto por el ruido, pero no quise quedarme detrás como un tonto, además quería ver a Felicia antes, la pobre, debía de tener mucho miedo, como un pajarito, ya sabe de quién hablo, ¿no?, seguro, la ha visto más de una vez en el local, me consta, pero quizás no le haya llamado mucho la atención, está usted siempre metido en libros, y en este caso es una lástima, perdone, pero Felicia es de muy buen ver, pero muchísimo, y, además, no lo va usted a creer, doctor, no se mete en drogas, no las quiere, ni probarlas, de ninguna clase, no es nada fácil en estos tiempos, hasta los jueces ninfean; Felicia es así, y eso que no le faltan oportunidades, rediós que no, más bien lo contrario, hasta algunos dicen que debe de ser una monjita por dentro, pero ella en esto tozuda como una mula, no y que no, es la única que es así, me ha dicho que es por las cosas que ha visto que son horrorosas, pero no puede ser sólo esto, no me lo explico, es un milagro, debería condecorarla el gobierno, por lo menos en la isla y ponerla como ejemplo. Bueno, pues yo a esa joya la quería ver pronto para estar seguro de que estaba a salvo de todo y no tenía miedo, Felicia es muy cariñosa, y yo la quiero como a una hija, soy como su padre..., no, no se sonría usted, doctor, es la pura verdad, entre ella y yo no hay nada, no es que no me guste, porque es tan guapita y tiene mucho de lo que los hombres quieren, y hasta a ratos..., pero hasta ahora no, sólo una vez, al principio, pero si hubiera continuado no habría podido guardarla, no sé si me explico. Bueno, Felicia en general no es muy miedosa, la he visto plantar cara a un tipo con facón que quería fondearla, no sé cómo decírselo, porque lo otro es aún peor, por lo menos palparle el fondillo, el de detrás quiero decir, que lo tiene como ninguna, y no es que no le gusten esas cosas, pero sólo cuando le vienen ganas, y no con tipos que sólo quieren hacer de macho; bueno, quiero decir que no le tiene miedo a los hombres, pero las sirenas sí, le dan mucho miedo y éstas eran como no las había oído nunca y ella, además, no es nada tonta, qué va, todo lo contrario, puede descifrar los sonidos y sabe que anuncian unas explosiones más grandes que las que se han visto nunca en el cine o en la tele. En fin, que quería ir a la 12 y sacarle el miedo de encima, y buscar los dos un buen sótano, pero cuando fui hacia la puerta de entrada para atrancarla y salir, se apagaron todas las luces y empecé a ver gente corriendo por todas partes, arriba y abajo, como unos locos, que no parecía que sabían dónde iban, se comprende, claro, con ese ruido espantoso de las sirenas, al que se añadía el de las radios y de las bocinas de los coches, pobre gente, pensé yo, pobres de nosotros si es verdad lo de los milenarios y que dentro de poco va a explotar una de sus bombas, y a lo mejor las tres, y todos los edificios se van a venir abajo y todos nosotros sepultados, y yo también, sin poder ver a Felicia, que estará seguramente enterrada entre ladrillos y vigas, en estos casos es mejor morirse deprisa porque si no puede uno quedar bajo tierra durante días y días y oír, además, cómo le están buscando a uno y no lo encuentran, sólo oyen las voces pidiendo socorro, lo he visto en la tele varias veces y cada vez me ha entrado un terror tremendo.

Bueno, mientras pensaba eso, y pobre gente y cosas así, me veo a dos o tres grupos con fachas de bandidos, y algunos parecían hasta de la isla, y no me extraña porque muchos no nos están dando un buen nombre, y por eso en mi local yo quiero sólo personas decentes y leídas, como usted, doctor, para que se vea que no todos somos unos delincuentes, y que hay entre nosotros gente muy, pero muy honrada. Pero esos que veía por el ventanuco de la puerta no eran de los buenos, decían palabrotas, muy fuertes, lo de las madres y cosas de este tipo, algunos llevaban puñales, palos como los del béisbol y cadenas de bicicletas y miraban alrededor por si veían algún coche un poco de lujo, y sobre todo si había tiendas o restoranes con cajas o ventanillas de bancos que dan a la calle para poner y sacar dinero, que hay ahora casi en cada esquina. Yo había visto ya antes gangas de este tipo, pero andaban a escondidas, más bien por la noche, esperando hasta muy tarde para dar sus golpes, pero ésas no, iban de un lado para otro sin miedo a la policía, grupos de tres, cuatro, cinco, no podía contarlos. Los que llevaban palos rompían cristales, sobre todo de tiendas, y llenaban grandes sacos con todo lo que podían arramblar, no hacían distinciones, pero si había algún objeto que les parecía de algún valor, hasta se lo disputaban y mirando hacia la izquierda, vi a uno de una banda apuñalar a otro, no sé si de la misma banda, para tomar un puñado de esas cosas que tienen en la Indian Reservation que parecen joyas, pero que no lo son, pura quincalla. Por suerte, ni se dieron cuenta de las letras de mi establecimiento encima de la puerta, la R y la P, y luego la P y la R, sin el neón apenas se veían y tuve que dar gracias por no haber querido nunca anunciar el negocio más de lo necesario, no hace falta porque los clientes son casi todos fijos, de modo que parece la entrada de una casa de vecinos y no de lujo, sino todo lo contrario. De saber que había un bar habrían entrado para romper cristales y llevarse botellas y hasta beberlas mientras saqueaban, y luego botarlas, eso lo he visto en la televisión que pasa en Miami y estoy seguro de que es la verdad. También entraban algunos en escaleras abiertas, y al poco rato bajaban con muebles y alfombras que parecían de precio, y toda clase de aparatos. En media hora la calle se llenó de armatostes, sobre todo radios y televisores, muchos rotos, porque los arrastraban sin cuidado o se les caían de los brazos, y los dejaban en medio de la calle y se iban a otra parte, ya no parecía quedar nada que podía interesarles. No sé si ha pasado así en todos los barrios, pero supongo que sí, y además usted, doctor, me dijo que lo había visto en todo el trecho desde el hospital, que no había un alma, pero que estaba todo roto y sucio, más que de costumbre. Estoy seguro de que todo el mundo por aquí se ha ido no sólo por el miedo a las bombas, sino también para huir de las gangas. Me pregunto si queda alguien, aunque supongo que sí, alguno habrá quedado y se estará escondiendo en la oscuridad para que no vuelvan otra vez y lo cosan a puñaladas.

Por mí, doctor, y lo pienso cada vez más así, eso es lo que querían esos milenarios, no tenían necesidad de hacer explotar ningunas bombas, les bastaba anunciar que explotarían para que hubiera pánico y de este modo se podría robar todo lo que se quisiera y ya no habría ningún orden, porque los policías también habrían huido, los muy cobardes.

Bueno, no voy a seguir porque ya se está haciendo muy tarde, son casi las dos y de todos modos el local ya está como lo quería dejar, y usted ya vio lo que hacía, que era hacer ver como que ya había sido saqueado y que no quedaba nada más para robar, que no valdría la pena. Me asustó usted, doctor, cuando oí un ruido en la puerta, porque creí que era uno de esos salvajes, y por eso me volví muy despacio para engañarle y poderle pegar un tiro sin que se diera cuenta, fue una suerte que lo reconocí pronto y oí su voz, porque si no, bueno, no quiero ni pensarlo. Claro que era muy tonto de mi parte estar sentado con la espalda a la puerta, pero así podía hacer mejor el trabajo, que era partir esas maderas y ladrillos para hacer cascotes y dejarlos en medio con la barra de zinc torcida, que ya me costó mucho, y el mueble sobre el suelo, con algunas botellitas alrededor, en fin, todo lo necesario para que todo pareciera purita chatarra. Ahorita mismo, cuando usted llegó estaba terminando, y casi me iba a casa para ver a Felicia, pero usted estaba en tal estado, doctor, que no podía dejarlo de momento, y creo que le fue útil estar aquí un rato, ¿no?, y, además, enterarse de lo que había pasado, que fue muy gordo, no es justo que usted no lo sepa, doctor, así está uno más precavido para lo que pueda pasar luego. Ahora se queda usted aquí, se tiende sobre el sofá, ya sabe que usted es el único a quien se lo permito, y procure dormir un rato, no va a ser fácil, porque aquí no tengo mantas, pero si se acurruca no tendrá frío. Esta bata no debe de ser muy caliente, y las zapatillas son casi nada, necesita usted ropita interior, unos pantalones y un suéter, además de unos buenos zapatones, yo le haré traer todo eso, le vendrá a usted un poco suelto, pero tengo todavía algunas cosas de cuando no estaba gordo, no sé cómo me vino que de repente empezó a hinchárseme la barriga como una embarazada, debe ser Felicia, que desde que llegó me está regalando cosas muy buenas, ha aprendido a cocinar y es una alhaja, sobre todo las empanaditas, que las hace de toda clase, con carne, pescaditos, legumbres, lo que quiera, están muy ricas bien tostadas de los bordes, perdone, doctor, que le hable a usted de esto en esos momentos, tendrá usted hambre y si se le habla de buena comida es aún peor. Al principio me preocupaba tener barrigón, con Felicia delante, pero luego, siendo como su padre ya ni me ocupé, no iba a tratar de ser un redford, ella ya tiene los que quiere y yo contento de verla feliz. Bueno, usted no se fijó mucho en ella, por lo que parece, pero ella sí se fijó, todas las veces que lo veía en el bar, que eran muy pocas, y lo siento, luego me hablaba de usted y me decía que aunque se le ven algunas canas, eso es mejor, porque lo hace más distinguido, no, no se sonría, doctor, es la pura verdad, palabra; además, me decía que le gustaba el que usted pareciera que no se atrevía a hablarle y no hacía como todos los demás parroquianos, que le echaban piropos y con el beber y el beber iban subiendo y al final le decían cosas que, vaya, hasta a mí me avergonzaban, pero que a ella, mire, parecían gustarle, he observado que las mujeres son así, quiero decir algunas, y le diré que ésas me gustan más que las que se ponen coloradas cuando se les dicen ciertas cosas y luego vaya usted a saber; Felicia es de las que no mienten y por eso les gusta tanto a todos, le diré que más que antes, cuando estaba más a punto para todo y se la podía llevar uno a bailar y a lo que fuese, los hombres también son muy raros, les gustan más las mujeres cuando están más difíciles; es cierto que Felicia nunca fue una de esas que se va con cualquiera, ni ella ni sus amigas, quiero decir las dos con las que vivía antes de venirse al apartamento conmigo; no es que eran de gran lujo, ni nada de eso, no tenían pretensiones, pero eso sí, cuando llegaba el momento, elegían, si no les gustaba, no les gustaba, y Felicia aún más chusi que las otras, y tenía toda la razón porque a bonita no la gana nadie, si yo no fuera tan viejo ya y no tuviera ese barrigón, bueno, sacaría las uñas y no me la quitaría nadie, pero las cosas son como son y ya es bastante que me deje hacerle de padre, que ella lo aceptó con mucho gusto y agradecida, ya estaba cansada, me dijo, de hacer la acera, que es como decía ella que lo había oído decir a una de sus dos amigas, Minette, aunque, en realidad, nunca hizo esto, no lo necesitaba, le bastaba levantar un dedito y ahí está. Sí, como le decía, y veo que le está interesando, doctor, parece usted mucho más animado, le tenía a usted mucha simpatía, un crush como dicen aquí, no me lo ocultaba, y hasta no se lo ocultaba a usted, pero usted siempre tan serio, doctor, siempre con sus libros, no se daba cuenta...

Bueno, ahora sí que termino. La llave del coche, ya le dije que la guardo en el apartamento, me parecía más segura allí, pero Felicia se lo va a traer todo; en cuanto llegue voy a hacer un paquete con las ropas y en otra bolsa voy a poner algunas cosas que comer, sardinas y guisantes, cosas buenas, que alimentan, y que no hay que cocinar, aunque no me extrañaría que al saber que todo sería para usted, quisiera prepararle alguna cosilla en el fogón de la despensa de aquí, hay queroseno y todo lo necesario, pero mejor que no prepare nada; claro que antes de mandarla para acá me voy a asegurar que todo está tranquilo y que no corre peligro, ella ya se sabe arreglar, pero mejor ver antes por si acaso. Además, estoy seguro de que tendrá más noticias, la electricidad aquí no anda, pero eso de la corriente es muy caprichoso y a lo mejor en la 12 está todo iluminado y funcionan las radios y la televisión, si las tiene, las noticias, se las va a traer a usted también y le dirá si se puede uno aventurar por la calle y si por donde está su garaje está tranquilo, claro, todo lo tranquilo que puede estar uno en estos tiempos, en todo caso no creo que tarde más de un par de horas teniendo en cuenta el tiempo que me tomará llegarme hasta allá y lo que se va a necesitar para empaquetar las cosas, sobre todo la ropa, que la necesita mucho si sale, y también, a lo mejor no me equivoco, para estar presentable a Felicia; no serán cosas muy elegantes, pero voy a elegir lo mejor que tengo entre lo que me viene pequeño...

De momento, doctor, descanse, y hasta olvídese de los milenarios, quiero decir de los de ahora, que los de los otros tiempos ya no pueden hacer daño. Así, bien tendido sobre el sofá, ponga los pies encima, ya lo comprendo, si no se está muy incómodo, ya no necesita ese bastón con la punta de aluminio, eso es para viejos, pero, mire, si me permite, me lo voy a llevar yo; de este modo, con el bastón y la pistola andaré más seguro, seguro. Hasta pronto, doctor, que descanse bien.

8

No sé si Juan Cosa dijo exactamente lo que he
ido recordando, pero palabra más palabra menos,
no debió de andar muy lejos. Recuerdo que al final musité unas frases de agradecimiento, no tan
exuberantes como las que su perorata merecía, y
que acto seguido me tendí largo sobre el sofá verde. El compasivo Juan apagó sus macilentas luces
y alegando que necesitaba «un buen cabeceo» me
dejó en una oscuridad completa. Seguramente ol-
vidó que ello no se compaginaba mucho con su
idea de que lo mejor para evitar un saqueo era dejar algo de luz para que se pudiera ver que el local *ya* había sido saqueado. Supongo que quedó
tranquilo con saber que quedaba alguien dentro.
    Supongo también que la primera impresión que
tuve, al despertarme, de haber dormido inin-
terrumpidamente durante una semana entera se
debía al asombro de encontrarme en un lugar totalmente inesperado. Tras rememorar las muchas
cosas que me habían sucedido desde el momento

en que oí la voz despavorida de mi enfermera-ángel (*The nukes! The nukes!*) hasta las últimas palabras de Juan Cosa, me pareció que no podía haber estado en otro sitio. Tal es la absurda influencia que ejercen las explicaciones.

Puesto que Juan Cosa había hablado de la «hora avanzada» y me desperté cuando era todavía noche, inferí que no habría dormido más de un par de horas. Hacía por lo menos tres que estaba despierto en busca del tiempo perdido, y lo había sobrado para dar lugar a la llegada de la mensajera con las vituallas. Presunción egoísta, porque ¿cómo esperar que Juan iba a mandar a una muchacha a recorrer, a horas tan inseguras, la docena y pico de cuadras que me separaban de su cuchitril en la calle 12? Ya hubiera sido pedir mucho en circunstancias normales, ¿no habría sido, en una situación como la actual, enviarla al mismo infierno? Cierto que de la calle no venía el menor ruido y que la zona que podía abarcarse con la mirada detrás del patético ventanuco de la puerta, seguía pareciendo desierta, sin otro testimonio humano que los omnipresentes desechos. Pero si lo que había contado Juan Cosa tenía algunos visos de verosimilitud, el barrio entero debía de haber caído en manos de forajidos. ¿Cómo iba a salir indemne del tránsito una morenita como Felicia, por despabilada que fuese, cargada, además, con un saco lleno de ropas y una bolsa repleta de provisiones? Seguro que habría sido violada por cuatro delincuentes, que, por añadidura, la habrían cosido a puñaladas. A menos que esto fuera justamente lo que Juan Cosa quería, y que su aire de bonachón sirviera de disfraz a un monstruo. Pero, no, esto no tendría ni pies ni cabeza.

Lo más probable era que tuviera depositada tal confianza en la habilidad y coraje de la chica, que no sólo estaba convencido de que sería capaz de plantarle cara a cualquier bandido que se atreviera a tocarle un hilito de ropa, sino que tenía la seguridad de que una vez me hubiera prestado ayuda, regresaría al —llamémosle así— «hogar paterno». A menos de pensar que los cafres que todavía debían de rondar por las calles eran tan degenerados que ni siquiera eran capaces de interesarse por una quinceañera.

Dicho sea de paso. Lo de quinceañera es una idea mía de la que a veces, seguramente por influencias judeocristianas, me arrepiento, pero que luego, y tras volver a ojear a algunos de mis griegos, me parece espléndida. Mirándolo bien, la tradición helénica es muy salubre.

De todos modos, Felicia no podía ser una quinceañera, porque cuando vino por vez primera al bar, hace un par de años, con sus dos amigas, Minette y Josefina, exhibió un permiso de conducir en el que figuraba su edad; yo estaba, por puro azar, al lado de Juan Cosa, a quien le estaba pidiendo que reservara la «Salita íntima» para el próximo jueves (además del martes habitual), y con la buena vista que aún conservaba, vi la fecha de nacimiento: 04 30 72; se le podían ya servir bebidas, por haber cumplido muy recientemente —¡y tanto! estábamos, lo recuerdo perfectamente, a primero de mayo de 1990— la edad reglamentaria, de modo que a estas horas debe estar a punto de cumplir los veinte. Todavía, pues, en los diecinueve, no tan lejos de los quince después de todo.

Divisé, además, como a la luz de un relámpago, su apellido: algo así como Mor..., pero no estaba seguro. El domicilio, ni pensarlo; sólo New York, NY y un número que empezaba con 100...

¡Y era justamente ella misma, en persona, carne, huesos, piel, todo, la que, gracias a la providencial intervención de Juan, iba dentro de poco a hacer su aparición en la salita, nunca como ahora tan bien nombrada, íntima, y, por si todo eso fuera poco, iba a ofrecerme ropas para cubrir mi relativa desnudez y, por añadidura, alimentos! Como en los tiempos del pan, la sal, la miel y las aceitunas, pero al día, todo debidamente enlatado.

Era para no creerlo. Y, de paso, para agradecer a esos milenarios, si es que en verdad los había, el haber aterrorizado a la población entera de modo que se facilitara este encuentro. Iba a agregar «feliz», pero mejor no precipitarse, no fuera a convertirse en una frustración mayúscula. Y, además, ¿cómo se me ocurre siquiera pensar que valga la pena una hecatombe atómica, y no digamos la posibilidad de un invierno nuclear, sólo para que se puedan ver a solas un profesor y una putilla? Estas cosas sólo se le pueden ocurrir a los profesores...

No hay duda de que había olvidado por completo la perspectiva cósmica.

Desde luego que Juan me había asegurado que Felicia se había fijado en mí y que ya le había hablado de mí, cosa que me parece muy improbable, porque ¿cómo una chica tan vistosa se iba a fijar en un individuo a quien empieza a ralearle el pelo? Desde luego que Felicia, lo mismo que sus compañeras, no necesita fijarse en nadie para aceptar salir a beber, bailotear y sacarse los malos humores, pero a mí, francamente, eso me parece poco digno. Aunque sea —y me temo que en gran parte es— por honrilla y puntillo, no sólo por —que puede ser aún más— acoquinamiento. Uno (yo) quiere ternura y no sólo —aunque también— coño. Además, aunque he observado que la chica es muy complaciente, yo no quiero que me camele por obligación, costumbre o dinero: uno (otra vez, yo) tiene su orgullo. Por otro lado, debe de haber algo cierto en que la niña es bastante chusi, pues he observado que si alguien no le gusta lo bastante, pues buenas noches y sanseacabó.

Lo más plausible, pues, es que al decirme que Felicia había expresado cierto interés por mi persona, Juan, siempre tan considerado para sus amigos, hubiese querido hacerme sentir cómodo ante Felicia, sobre todo si llegaba, como a veces ha ocurrido, con esa falta tan ceñida que se le podía apuntar el ombligo con un dedo.

Cuando en el curso de su dilatado monólogo Juan Cosa mencionó el nombre de Felicia, debí de hacer un gesto como de sorpresa y luego de una especie de vago reconocimiento: «¿Felicia, dice? ¡Ah, sí!, creo recordar, esa chica que viene de vez en cuando a su establecimiento y que se hace amigos tan deprisa, sí, sí, ahora sí, ya veo», pero no estoy seguro de que me creyera porque me parecía difícil evitar que se notara mi interés: el amigo Cosa, que es un socarrón de marca, dijo aquello de «¡Oh, claro! Usted, profesor, siempre con sus libros», pero quién sabe lo que tendría en la mollera en aquel momento, porque, de todos modos, me dijo sin más que «me la enviaría» con el fin de «ayudarme», y esto presuponía que yo debía de saber que, tras una «carrera meteórica» en el RPPR y sus aledaños se trasladó a lo de Juan en la calle 12. Lo que yo no sabía, o no podía sospechar, y de lo que me informó cumplidamente el propietario del RPPR es que la trataba «como un padre», *whatever that means* y que en calidad de tal justamente me la «mandaba».

Era imposible que Juan pensara que yo no estuviese enterado de lo que todo el mundo en el RPPR sabía y de lo que nadie, empezando por ella, se sonrojaba. La aparición, un buen día, de la niña y sus compañeras en el bar no fue una casualidad; las tres tenían la intención de incluir el local en su zona de operaciones. Les movió el loable propósito de poder operar sin necesidad de someterse a la tiranía de ningún estúpido alcahuete. Hasta hubieran podido decir algo parecido a lo que, según le oí decir a un conferenciante peninsular (citando a otro de su tierra), le gritó a un terrateniente de aquellos tiempos un andaluz harapiento también de aquellos tiempos. El campesino: «¡En mi hambre mando yo!». Felicia (o Minette o Josefina): «¡En mi sexo mando yo!». ¡Bien por las tres! No hay por qué suponer que el feminismo tiene una sola veta.

Lo que Juan no sabía era que la tal Felicia había despertado en mí desde el principio un interés muy particular.

Desde cualquier punto de vista que se mire, no soy nada mujeriego y no porque no me interese el sexo impropiamente calificado de opuesto, sino por mi carácter más bien apocado. Mis experiencias en este campo se confinan casi a mi cortejo y subsiguiente breve matrimonio con Laura (entonces llamada Laurita) Galindo, la actual Mrs. Laura Kirk, que hasta me pregunto cómo demonios

149

llegué a tanto. Supongo que esto, como todo, tiene una explicación, y ésta reside en el temperamento de mi ex-cónyuge, voluntarioso o mandón, según se mire. ¡Vaya con Laura! Una rubia que seguramente por contraste con el resto de la isla parecía aún más rubia que las suecas y que, por añadidura, se platinaba como si fuera Jean Harlow. Todavía me pregunto qué podía atraerme a esa masa blonda y diamantina, pero lo más probable es que no fuera el color del pelo, sino más bien la perseverancia de Laura, que era cualquier cosa menos una *dumb blond* y que vio en mí una ocasión que ni pintada para trasladarse conmigo al continente, donde yo iba a terminar mi doctorado y donde tenía grandes probabilidades de obtener muy pronto (aquellos eran otros tiempos) un puesto de profesor ayudante, con un rápido ascenso y subida de sueldo. La rubísima Laura había estudiado conmigo una vaga mescolanza de humanidades basadas en «Los Cien Libros más importantes de la Literatura Mundial» y había adquirido una finísima pátina cultural que la hacía quedar de lo más bien en las reuniones. ¡Qué suerte tienes!, me dijo más de un colega, ojeando la resplandeciente cabeza de mi entonces futura esposa. Y, la verdad sea dicha, me consideré durante un tiempo muy afortunado, apropiándome, como se hace a menudo, los piropos dirigidos a la prójima. Por mi esfuerzo, apenas me hubiera atrevido a decirle «Buenos días» o «Hasta luego». Que es lo que ella me dijo unos tres años y medio después del matrimonio, cuando me informó, eso sí, con suma delicadeza, que estaba locamente enamorada de un abogado a quien había encontrado por casualidad —¡siempre la casualidad dispuesta a servir de disculpa a todo!— y que, lamentándolo mucho («infinito» dijo, todavía me suena en el oído), quería el divorcio cuanto antes, nada de peleas, por supuesto, gente civilizada, etc. Seguramente que ahora soy algo injusto con ella y que todo lo que me dijo —primero que me amaba, y luego, pues que no— era la pura verdad. Fue un golpe, atenuado por la circunstancia de que Laura fuese tan rubia cuando a mí, en realidad, me han gustado siempre mucho más las morenas. Cuestión de glándulas, presumo.

Felicia era otra cosa.

Oficialmente, puta y ramera. O, lo que suena algo mejor, cortesana. Y, además, de una simpatía fenomenal y de un trigueño que se le caía a uno (a mí) la baba.

Una ninfa como las del más puro Mediterráneo.

Hasta me pregunto si me gusta tanto Safo por su poesía o más bien porque es tan menuda y morena. Si un día vuelve a aparecérseme, me fijaré un poco más en sus ojos y en su negra cabellera.

No debería sorprender que antes siquiera de decidirme a abordar a Felicia, pasara tanto tiempo arrebañando informaciones sobre su biografía.

No fue fácil.

Primero, traté de disimular mi interés, al punto que en más de una ocasión hice ver que ya no me atraía mucho el estudio de los escritores antiguos, y que me proponía dedicarme a investigar varios aspectos de la vida moderna. «Lo que pasa hoy en el mundo, especialmente en el área de las relaciones interpersonales, es mucho más interesante que esos poetas que ya no lee nadie...» ¡Como si a los parroquianos del RPPR, que se convirtieron en mis principales informantes, les interesara un rábano mi anuncio de que iba a abandonar la literatura clásica para cultivar la sociología! A mis contertulios de los martes no les dije, por supuesto, palabra de mi supuesto nuevo interés por si alguno de ellos lo soplara, aun sin querer, a mis colegas de la Universidad y se corriera la voz de que había dejado de lado «la investigación». Tampoco le dije nada a Juan, que obviamente se interesaba especialmente por Felicia, y que casi no la dejó ni a sol ni a sombra desde el momento en que, aún no se sabe bien por qué, Minette y Josefina acudieron cada vez con menos frecuencia al RPPR y, al final, se hicieron perdidizas.

Segundo, Felicia no era de esas que vocean a los cuatro vientos su vida y milagros, reales o inventados, de modo que no importaba cuánto, o cuán hábilmente, sonsacara a quienes habían tenido, o presumía yo que pudieran haber tenido, relación con ella: los resultados eran más bien magros. Una cena (para mí) carísima en Garvin's con Josefina, a quien convencí (¡y lo que me costó decidirme!) que tenía amigos influyentes en la administración de NYU —¡nada de profesores!, aseguré— que podían ponerla en relación con alguna gente aún más influyente en Grace Mansion, etcétera, no dio apenas resultados: sólo me enteré de que Felicia usaba el apellido Moro —«Felicia Moro, así es», dijo Josefina—, pero que su «verdadero» apellido era Moreau. «Familia francesa, o criolla o algo así», añadió un poco desabridamente, como si el asunto no tuviera importancia, que desde luego no tenía mucha, salvo resolver, y aun sólo a medias, el problema de por qué Felicia, que era tan morena, tenía la piel tan blanca. Debía de ser, concluí para mis adentros mientras llegaba la segunda botella de Heidseck, a causa del padre, que sería francés mientras que su madre podría ser de, ¿de dónde?, pues podía ser de muchas partes aunque aquel tipo de morenez me olía a muy antillano. Fue todo. O Josefina no sabía casi nada de Felicia, o sabía demasiado, o esperaba que con este encuentro se iniciaría una serie inacabable de cenas en restaurantes aún más dispendiosos (aludió alarmantemente a unos «muy buenos» en la Segunda Avenida, «por allá la cincuenta y tantos») y que podría ir soltando cada vez un detallito. Pensé primero que aun así valdría la pena (desde mi punto de vista), pero que con ello corría el peligro de alertar a Felicia, que podría indisponerse conmigo a causa de mi curiosidad y que entonces ni siquiera me echaría de vez en cuando una ojeada displicente.

Mis penas de amor no fueron totalmente perdidas porque a base de retazos de conversaciones, alusiones e inferencias conseguí reunir un fichero decoroso. Tengo que confesar que en ello me ayudó mucho Julio Campoy Campoy. No es que él personalmente hubiera recogido informaciones de los propios labios de Felicia —¿cómo podía haber hecho el menor caso de ese mequetrefe?—. Lo que ocurrió es que me era tan sumiso (por cuenta de la recomendación que de mí esperaba) que no tuve más que sugerirle que hablara con todos los que iban saliendo con la doncella para que, al final, me presentara la más completa documentación posible. Siento haber recurrido a esas bajas maquinaciones, pero el propósito era loable: ser objeto de atención *especial* —nada de lo común y corriente— por parte de la ninfa.

Una vez compilada y ordenada la documentación, no era para escribir ninguna biografía abultada. Podía resumirse como sigue:

Felicia Moreau (o Moro, que éste es el apellido que adoptó) había nacido en la fecha que yo mismo había podido comprobar en su permiso de conducir, en una de las islas vírgenes, de las cuales hay muchas, más de cien según informa la media docena de Enciclopedias consultadas. Tengo el mapa a mano —es decir, en la cabeza— y las veo flotando, a poca distancia de la isla bonita, a la derecha de San Juan y de Fajardo, como un moño que sirve de nudo para la desmayada cabellera de las Antillas. Esto ya de por sí es poético, además de servir de punto de comparación para esa otra cabellera más crespa y casi vertical que empieza en Tasos y Samotracia y, después de pararse en Lesbos, cae abruptamente en torno a Rodas. No he podido saber en cuál de las cien y pico de islas nació Felicia, ni parece que ella misma lo supiera y en todo caso no parecía importarle un comino. Para mi gusto, idólatra que soy de las palabras, hubiera tenido que nacer en Tórtola, o por lo menos en Anegada, pero lo más probable es que si, según había informado (a menos que lo inventara) Josefina, uno de sus progenitores procedía de Francia, la familia se hubiese radicado en algún lugar de nombre reconocidamente gálico, como Amelie Charlotte; por lo que sé de los franceses, hacen como las cabras, quiero decir, tiran al monte. Por otro lado, me pregunto por qué ni siquiera me lo pregunto; tampoco me importa grandemente en cuál de las islas vírgenes innumerables nació Felicia; supongo que estoy haciendo como los eruditos que preparan la edición de un clásico olvidado, con un aparato crítico que lo va a hacer todavía más desconocido, es decir, le estoy dando a la cosa más vueltas de las que merece. Debe de ser, una vez más, el código genético, el DRN misterioso, que hace la función de las Moiras.

Me consta, porque la oí un día departir con un antillano *pur sang* que se había colado en el RPPR y estaba todo el rato bajo el ojo vigilante de Juan Cosa, que hablaba calipso, aun si era renqueando. Esto de por sí podría considerarse como una hazaña intelectual, porque —información conseguida con gran esfuerzo por el rodeo de Julio Campoy Campoy— había pasado cuando era muy chica de las islitas a la nuestra, de Humacao a Guayama, de allí a Ponce, luego Mayagüez, Aguadilla, Arecibo y, finalmente, San Juan, donde pasó unos años, sería interesante saber cuántos, pero no hubo manera. Un viaje de circunvalación, vamos, pero no imagino que el ocasional acompañante de Felicia —que alguno debía de tener: padre o madre, o tío, o amigo de la familia, o amigo del amigo, etc.— pudiera dedicarse al turismo. Fin de la edad antigua.

La edad media. Período confuso. Felicia pasa a Nueva York, con o sin acompañante. Felicia estudia. Felicia no estudia. Felicia se droga. Felicia no se droga. Felicia es virgen. Felicia putea. En la edad media todo es posible.

De la edad moderna, sin noticias o sin nada muy distinto de lo que es del dominio público.

Yo, como todos, sólo sé que Felicia putea, pero no se droga. También he aprendido, y es uno (pero sólo uno) de los secretos de su éxito entre los hombres —y del que algunos suponen tiene asimismo entre las mujeres; más de una vez se la vio con algunas flamantes pitusitas—, que sus melindres en la elección de compañero nocturno se deben en buena parte a su firme decisión de evitar toda contaminación venérea, y no digamos cualquier amago de SIDA. Muy buena idea, aunque caben pocas dudas de que el mejor procedimiento para huir de todo peligro en este sentido sería el matrimonio o la abstinencia o la elección de un candidato como yo, que debería de estar fuera de toda sospecha, pero rechazo este pensamiento porque me hiere la simple idea de que a pesar de las seguridades que yo podría ofrecerle no ha parecido hasta ahora interesarse mucho por mi figura.

Juan me aseguró que sí se interesaba y, tras darle vueltas a este asunto, he llegado a la conclusión de que era sincero. Al principio me pareció a mí, y nos pareció a todos, que el digamos apadrinamiento de Felicia por Juan Cosa era un modo de disimular que se habían amancebado y que ella había aceptado el hecho consumado quizá porque estaba ya harta de andar a salto de mata —aunque menos desde que recaló en el RPPR— y también porque Juan le había prometido arreglar los papeles con el fin de hacerla al final dueña del establecimiento, lo que todo el mundo acordaba hubiera sido un golpe comercial maestro. Aun así, muchos se sorprendieron —yo, el primero—, que después de tanto espigar y cribar, la niña hubiera elegido al más furunculento y barrigón de todos. Luego se vio que no, que quizás al principio sí, algo, vamos —«una sola vez», como dijo Juan y se me ha quedado grabado en la memoria—, pero que todo fue, y sigue siendo, muy paterno.

Oigo un ruido, como de raspado de unas uñas y unos golpecitos, como de puntitas de zapato, en la puerta. Me levanto de un golpe y paso al «Salón General». Sigue el raspado y me dispongo a abrir sin más ceremonias la puerta para dar entrada a Felicia, cuando mi *dáimon* me susurra de nuevo, como tantas otras veces, Leo, no te apresures. Me acerco y a través del cristal veo un ojo muy negro, rodeado de un blanco muy blanco, que mira fijamente primero hacia el suelo, rodeado de cascotes, y luego hacia mí. Seguramente no ve nada, pero sigue mirando, como si quisiera taladrar la oscuridad. Muy lentamente paso la mano sobre el cristal, de arriba abajo, como si fuera una cortina. Al terminar este movimiento el ojo ha desaparecido.

No sé quién era, pero desde luego Felicia no. Empiezo a preocuparme por la tardanza. ¿Le habrá pasado algo? ¿Habrá Juan desistido de enviármela? Ninguna de las dos alternativas me tranquiliza. La segunda, sobre todo, me inquieta. ¿Habrá sido el ojo negro un presagio de futuros infortunios?

Regreso al sofá verde para seguir esperando. El teléfono, ni pensar que funcione. Lo único que puedo hacer es proseguir mis cavilaciones.

Puesto que todo lo que sé de Felicia es lo que acaba de ocurrírseme, y es tan poco, no tengo más remedio que completar su figura con mis propios trazos. He observado a menudo que eso es la realidad: lo que resulta de nuestro diseño.

Si alguien se distingue de Ulises/Odiseo, soy yo. Nunca me pasa nada. Nada que valga la pena, se entiende. Pensándolo bien, lo único que me ocurrió digno de contarse fue mi episodio con la actual Mrs. Laura Kirk. Estoy hablando de acontecimientos externos, pero en lo que toca a los internos, estoy que no puedo más.

Claro que con eso estoy olvidando nada menos que lo que me viene sucediendo desde hace un par de días y lo que ahora, en una especie de entreacto preñado de portentos, estoy esperando que me ocurra. Pero esto es el presente y no el pasado. El presente sí que promete tener un aire de película de episodios. Como la *Odisea*. O como la *Divina Comedia*.

Como en la *Odisea*, estoy empeñado en un regreso: el regreso a Nueva Esperanza. Por el momento, y tras una serie de naufragios, me he acogido a una islita que no tiene, como Ogigia, un nombre ilustre, ni sugestivo, que ni siquiera es un nombre, sólo unas iniciales, RPPR, y además archipedestres. No está besada, ni azotada, por notos, euros o céfiros. Es un par de habitaciones más bien desmanteladas e inhóspitas. Sin embargo, con mi imaginación, que es tan buena como la de cualquiera, la estoy poblando poco a poco de náyades, nereidas y hamadríades: todo esto me cuesta poquísimo y me queda bastante bien.

Como en la *Divina Comedia*, voy recorriendo, sin que me acompañe nadie, reinos, hemisferios y círculos. Puede pasar cualquier cosa en cualquier momento y en cualquier orden: recorrer el purgatorio, ascender al paraíso, bajar a los infiernos, quedarme, como ahora, en el limbo. Hay algo así también como un intento de regreso, pero no es tan claro. ¿De dónde regresar? Si las cosas se ponen realmente feas, tendrá que ser del mismo infierno.

La *Odisea* es lo que tiene más visos de verosimilitud. Aunque sólo fuera por lo de Calipso, que es el nombre, a un tiempo mitológico y antillano, con que he decidido rebautizar a Felicia. Le voy a decir cuando la vea, si la veo, y para que no se sorprenda al principio, que el nombre viene de las canciones y de los carnavales de Trinidad, que ella, que es una hermosa *draf*, debe de conocer y que alegran los corazones con los sones de los bambúes, las guitarras y las maracas, pero luego le revelaré que Calipso fue primero hija de Atlante y de Pléyone, que fue (sigue siendo, porque se ha reencarnado) una ninfa que quiso retener a Odiseo y que, según la verdad oficial, no lo consiguió, pero algo debía de conseguir la muy granuja, porque ¿quién se queda siete, o diez, años retozando con una ninfa si no es porque le gusta? El hipócrita de Odiseo se pasaba las horas sentado en una roca junto al mar, mirando vagamente el horizonte y supuestamente pensando en Penélope e Ítaca, pero la verdad es que debía de pensar en la buena velada que iba a pasar con Calipso, porque si no, ¿por qué no agarraba una tabla y se echaba al mar, qué diablos?

Bueno, seguramente que no le diré nada de eso a Felicia/Calipso para no parecer que estoy medio chalado, pero lo de llamarla Calipso, lo mantengo aunque le dé como única razón los bambúes y las maracas.

Nada de hipocresías aunque haya que cambiar la leyenda. Soy yo, Leopoldo Arroyo Munz, Odiseo ocasional, el que se encuentra en una «isla». Es ella, Felicia Moro, o Moreau, Calipso real, la que llega a la isla, no buscando refugio, sino tratando de salvar a Leopoldo/Odiseo del infierno en que puede convertirse este barrio por razón de la (hasta ahora incierta) amenaza de una explosión atómica. Los dos saldrán del refugio para dirigirse al garaje desde el cual harán rumbo hacia Nueva Esperanza, donde a lo mejor, y si la ninfa no lo encuentra demasiado aburrido, Leopoldo/Odiseo le leerá sus traducciones de algunos poemas, los de Safo para empezar, que son los más evocadores, para disponerse más tarde a salir al campo, oír el rumor de hojas y el murmullo de aguas y ser felices *forever after* de acuerdo con los cuentos de hadas que son absolutamente ridículos, pero ¡qué bien acaban todos!

Queda Juan, que no parece desempeñar ningún papel, aun remotamente simbólico, en ninguna mitología —pobre Juan, sin oficio ni beneficio—. Pero el asunto tiene solución fácil. Juan es como un Virgilio que preside, a modo de divinidad benévola, sobre el viaje de regreso, o como un Hermes que urge a los dos, no sólo a Odiseo, sino también, y especialmente, a Calipso a que emprendan juntos el nuevo periplo. A Juan se le puede recoger en su cobijo de la calle 12, para dirigirse todos a una nueva y más holgada residencia; seguro que no se opondrá a seguirlos si le aseguran que durante todo el tiempo que dure su exilio el local del RPPR quedará a salvo de saqueos.

¡Qué ganas de volver a dormir! No lo puedo remediar; se me cierran los párpados. Quizá porque hace tantas horas que no ha entrado nada en mi estómago, aunque aquel generoso vaso de ron debía de tener más calorías que un buey.

Plomo en los párpados. Oigo un ruido en la puerta, será otra vez un vándalo que mira si queda algo que saquear. Mejor no levantarse; no hacer el menor ruido por si acaso.

¿Cuánto tiempo he dormido de nuevo? ¿Voy a dormir para siempre? Abro lentamente, pesadamente, los ojos y ahí está. Felicia.

Felicia en persona.

No la reconocía. El pelo, negrísimo, cuidadosamente recogido en dos trenzas, como si fuera una chicuela recién salida del colegio. Colgando al final de cada brazo y balanceándose suavemente, dos grandes bolsas. En una asoma la manga de un suéter gris. En la otra se insinúa un par de manzanas.

Una bata blanca, como de enfermera, unas medias de hilo blancas, un cuello de encaje blanco, muy ceñido.

— ¿Cómo se siente, doctor Arroyo? Aquí le traigo unas cosillas. De parte de Juan.

Esboza una sonrisa.

9

Por fin se destapó el doctor, quiero decir Leopoldo, en fin, Leo, que es como quiere que lo llame, aunque a mí, la verdad, me gustaría más seguir llamándole doctor, es más bonito y, además, así me da más la impresión de que es un sabio que lo sabe todo y que podría hablarme noche y día durante un año sin que terminara de aprender. Pero si insiste, allá él, como quiera, Leo, perfecto así, aunque entonces se parece más a cualquiera, como Pedro, Pepito, Santiago, en fin, todos. Quizás Leo es un poco diferente; me dijo que quería decir león, y eso no me lo creo aunque me lo jure, porque no tiene el aspecto; más bien un monito como esos del Parque, mucho más alto, claro, y con una frente que no se termina nunca, y los ojos moviéndose de acá para allá, o muy fijos, según, y con mucho pelo dentro, mucho, realmente un encanto.

No paraba. Yo no podía más y después de haber disimulado un par de veces le dije que me había puesto KO, se me doblaban las piernas y me dolían los pezones con tanto morder, que no había para tanto y que Minette los tenía más lindos aún, todo el mundo estaba de acuerdo, yo los probé una vez y era verdad, eran como fresoncitos, no me pudo sacar de encima en una hora, pero no es por eso que se fue, claro, ni Josefina tampoco, encontraron algo mejor, cosas de la vida.

No habría creído nunca que leer libros puede poner tan cacho. Es como si hubiera estado esperando, años y años, y ahora todo de una vez, hala, sin dejar gota. Cuando le dije que no, pues ya no, que ya basta, y que si no para me voy, doctor, quiero decir Leo, todavía le quedaron fuerzas para regarme toda, de arriba abajo, como si fuera una plantita. Esto no se lo dejo hacer a nadie, ni que me lo pidan de rodillas, pero el doctor es otra cosa, además estaba como lunático y yo no quería ofenderle diciendo que no y que para eso de regar a una planta que elija a otra, que las hay muy puercas, ¿okéi?

Ahora está dormido. Como un tronco, es natural después de tanto hacer sufrir el sofá, los muelles no les habrá pasado nada, pero el cuero habrá que limpiarlo bien, frotándolo con cuidado, antes de que lo vea Juan, que es un buenazo, un pedazo de pan, y se cortaría a chispitos por mí, y estoy segura de que también por el doctor, aunque no tanto, o diferente, pero de todos modos lo del cuero no le gustaría nada, nada, nada, lo estoy viendo, se pondría hecho una furia; ahora, cuando Leo termine de dormir, lo froto y lo dejo como nuevo, una joya, me repetía Juan, yo la verdad no le veo la gracia, pero son esas cosas históricas que yo no entiendo, ni ganas, ya es bastante con lo que pasa, que tampoco lo entiendo.

Lo de Juan me sorprendió mucho que me dejara venir para acá y hasta que me lo pidiera, vaya sorpresa, y llevando ropa suya de hace tiempo y un montón de latas y frutas, además de la llavecita del coche, una marca rarísima, primera vez que la oía, claro que es muy importante tener la llave, porque si no tendría que quedarse aquí, no creo que ahora pudiera encontrar a Julito, que es capaz de echar a andar cualquier coche sin llave, no sé cómo se lo hace, sólo un ganchito, y lo bueno es que no roba coches, sólo le gusta echarlos a andar y que la gente se asuste. De todos modos, Juan podría haber esperado un poco, porque no había mucha seguridad en las calles, con todo lo que me contó él mismo que ya le había pasado para llegar al apartamento, tres veces lo detuvieron y gente que se peleaba unos con otros y llevaban signos, todos diferentes, cruces y medias lunas, y dibujos de llamas y así. Yo no tenía idea de que lo quería tanto al doctor, Juan, bueno, es el respeto, porque sabe tanto, y además yo le había dicho que me gustaba mucho oírlo hablar y que hasta podía ponerlo muy contento, porque a mí no me engaña nadie y hace tiempo que veía que el doctor, Leo quiero decir, me ojeaba así no más entraba y además supe por el medio cojo, no recuerdo el nombre, pero está siempre con chismes, que el doctor, como yo todavía lo llamaba entonces, se interesaba por mí y hasta había preguntado si no había nacido en una de las vírgenes, no sé cómo lo podía saber a menos que fuera por aquello de que chapurreé un día el calipso, que ya lo tengo olvidado y casi sólo me acuerdo de unas cuantas palabras por unas canciones. Lo de las vírgenes, tengo que decirlo, me molestó un poco, porque preguntó también por Minette y Josefina si eran de las vírgenes y esto no parecía decir lo mismo que si habíamos nacido en una de las islas, o en cuál, no soy tan bobita, era como preguntar si las tres éramos vírgenes, y eso no se pregunta a nadie hoy porque nadie dice que sí aunque sea cierto, y cuando se nos pregunta a nosotras es como para reírse y como decir cómo vais a ser vírgenes si sois unas putas, sin tener en cuenta que las hay de muchas clases, y además no es lo mismo que lo digan los hombres que lo digamos nosotras. Bueno, luego estaba segura de que no quería decir nada malo, porque seguía dándome el ojo y preguntando a gente y eso no se hace si no se tiene mucho interés porque no podía ser que fuera como un policía que le pregunta mucho a una y hasta la bostea, pero sólo para poderla meter en la perrera. Él debía preguntar y ojearme por otra cosa, a lo mejor para escribir poesía, que según Juan lo hace muy bien, aunque no creo que Juan sea capaz de leer versos, o también, bueno, porque yo debía gustarle, la prueba es que se quedó como sin respirar el día que pasé por el bar sólo para decir buenas y llevaba ese vestido nuevo, que a Juan le costó un fortunón en Bloomingdale's, es una tienda fantástica, el vestido era como azul celeste, con muchos farbalanes de la cintura para abajo, de varios colores, pero todos lindos, dando muchas vueltas hasta sólo un poco más arriba de las rodillas, parecía una novia, y creo que se notaba que llevaba debajo ese Teddy de satín y puntilla, con una doble cintita delante que se podía hacer y deshacer muy fácilmente («es un Randi, señorita

—me dijo la vendedora—, se le va a caer la baba a su novio», no sé por qué se le había ocurrido que yo tenía novio), bueno, ya sé que no hubiera tenido que verse nada debajo del vestido, pero se veía, unas piedrecillas muy cerca del escote que brillaban bastante con la luz, a mí me gustaban horrores y se ve que a todo el mundo porque me felicitaron, y a Leo también debían de gustarle aunque no decía nada y hacía como que ponía una señal en una revista, para no perder la página, a mí no me podía engañar, *okéi*, no soy tan boba.

Bueno, pues así fue, Juan me dijo hijita, que es como me llama ahora, hijita y otra vez hijita, justamente cuando no quiere hacer nada conmigo, y yo tampoco, la verdad, es muy bueno, pero es feúcho y se ha puesto gordísimo, no me puedo quejar, no me niega nada, me regala todo, vestidos caros, y me deja ir con amigos, los que quiera, siempre que, cuidado, hijita, repite, que no te contaminen, pero eso es todo, realmente es como un padre, no miente nada cuando se lo dice a todo el mundo, yo creo que él hubiera querido tener una hija como yo, y no pudo y ahora soy yo su hija, hasta se pone gallo, todo el mundo lo nota, sólo que me mira y mira por todos lados, y me hace dar vueltas y más vueltas y quiere que me pruebe los vestidos nuevos delante de él, es igual, hijita, no tienes que esconderte cuando estás en camisón, soy como tu padre, a veces hasta pienso que debe haber algo raro, porque a algunos también les gusta mucho verme como me visto y me desnudo muy poco a poco y me traen cosas para ponerme, y me pagan bien, y pensé alguna vez si Juan no sería uno de ésos, pero como luego no pasaba nada y más bien me plantaba un beso en la mejilla y me decía, gracias, hijita, te quiero mucho, ya lo sabes, no me daba ninguna vergüenza y hasta a veces meneaba un poquitín el fondillo para probar, pero no, y entonces me avergonzaba y me decía que yo no debía ser una hijita buena, y por eso ya no lo hago más, quiero decir menear el fondillo de ese modo, porque lo de probarme vestidos delante de Juan, lo hago cada vez que me compra uno nuevo.

Bueno, pues, hijita, me dijo, el doctor Arroyo, ya sabes, está muy malito, pasó un tiempo en el hospital y lo iban a operar, pero vino esa alarma y tuvo que salir corriendo, yo creo que fue mejor porque le iban a cortar algo del vientre. Esto yo ya lo sabía, Juan no se acordaba que me lo había dicho hace más de una semana, y me horroricé mucho pensando que a una podrían también sacarle las tripas fuera y cortar, en esos hospitales son unos bárbaros, yo he tenido suerte hasta ahora, no han tenido que hacerme nada, pero a Minette sí le hicieron, empezó a tener algo en la barriga, creían que era un cáncer y luego vieron que estaba preñadita, yo ya la había advertido que tuviera cuidado, pero ella no hacía caso, bueno, pues al final tuvo un aborto, pero era de los malos y Jesús María José la cantidad de sangre y cosas que le salieron, debían de haberle barrinado todo el aparato; claro que con el doctor Arroyo no podía ser nada de eso, los hombres tienen suerte, ellos hala, adelante y aguanta, chica, y nosotras luego pagamos las consecuencias si no nos cuidamos.

Hijita, hijita, hijita, tres veces seguidas me lo dijo cuando llegó del bar donde había cuidado al doctor Arroyo, estaba cariñosísimo, más que nunca, pero esto no le impidió insistir en que le llevara al doctor las cosas y la ropa, sobre todo la ropa, debe de estar muriéndose de frío. Yo estaba, la verdad, un poco sorprendida de que insistiera tanto, porque creía que justamente en este momento no me iba a dejar salir, en casita, sobre todo después de lo que me contó de esos miles y lo malos que parecen ser y de que habría que buscar un refugio, un sótano, muy hondo, más que el metro por si explotaba la bomba, yo ya sabía de qué bomba se trataba porque todo el mundo hacía días que hablaba del asunto; en el supermercado donde me paro a veces cuando salgo del bar para casita a prepararle algo a Juan, la esquina Bleecker y West Broadway, cerca de la tienda de licores donde tienen tantos riojas que a Juan le gustan, bueno, pues en ese supermercado no se hablaba de otra y debían saberlo porque allí van muchos profesores y señoras de profesores, hasta chinos y japoneses, que han estudiado estas cosas y están enteradísimos. Pues mira que Juan no, no sólo me dejó salir, sino que me lo pidió, hijita, decía, vamos a hacer una buena acción, y luego te alegrará haberlo hecho, yo bien iría yo mismo a llevarle al doctor Arroyo lo que necesita, pero a mí me cogen y creen que soy uno de los de la secreta y me matan a palos, a ti te harán más caso, eres mujer y hay que ser muy bruto para pegar a las mujeres, ésos son brutos pero de otro modo, como fanáticos y sólo les interesan las cosas de Dios, tú les haces unos rezos y ya verás cómo se callan, lo único es que te pongas la batita blanca, que luzcas como una enfermera y si te preguntan por qué traes esos pantalones o estos calcetines y el suéter o esas latas y esas manzanas en las bolsas les dices que es para un enfermo que está muy grave y que tengan compasión, que Dios también se compadece de los enfermos...

Pues muy bien, así como salí del piso de Juan, que creo que es nuestro, porque Juan me hizo firmar unas cosas de propiedades, al principio no me pasaba nada, y no era verdad tampoco lo que me había dicho Juan que las calles estaban todas desiertas; había alguna gente que pasaba, eso sí, muy de prisa y cerca de la pared, y otros que bajaban de las escaleras de los incendios y daban un salto hasta la calle y desaparecían en la primera esquina, que una se pregunta dónde podían ir a parar porque todo estaba cerrado, hasta las bocas de los metros, que las habían corrido con todas las cortinas de metal para que no entrara nadie más pues debían de estar llenas si tenía que haber explosiones, así es la gente de egoísta, y seguí así lo más bien durante un buen rato porque Juan no se da cuenta, pero de la casa al bar hay un trecho muy largo, quizá cuando se hace cada día y es todo normal parece corto, pero no, no es nada corto; lo es algo más si se va por la novena abajo hasta King o Charlton o algo así y luego se tuerce a la izquierda, pero es muy aburrido y además hay muchos tipos uirdos que una no sabe lo que quieren aunque a veces sí se puede saber muy bien porque dan dos o tres golpes hacia adelante con el vientre mientras se sujetan los pantalones y luego te apuntan con el dedo y giran la cabeza como unos mentales, igual que hacía aquel Michael Jackson en la tele cuando yo era quinceañera, ahora no se acuerda nadie de él, pero entonces era muy famoso, y la verdad es que eso lo hacía bien, mejor que los otros que les sale bastante chungo; de todos modos, esos tipos no meten tanto miedo, ni siquiera llevan facón, por eso aunque sea más largo yo voy dando vueltas por las calles hasta que, al fin, me topo con la sexta y así, además, puedo mirar las tiendas, muchas son un desastre, pero hay otras con cosas hasta de precio y también hay puestos con legumbres frescas y hasta flores. Ahora lo hice también así, aunque no había tiendas abiertas, y me llegué hasta cerca del mismo supermercado que ya conozco, en Bleecker, pero más bien por el lado de la sexta, cerca de donde hay un restorán al cual van los españoles, porque anuncian paella y se ven banderas pequeñas rojas y amarillas en la vitrina.

Pues allí, no en el restorán sino cerca de una plaza que no recuerdo nunca como se llama, o si tiene nombre, allí sí había un grupo que parecía como que estaba de guardia, unos doce o algo así, todos con chaquetas de cuero muy brillantes y nuevas, aunque no eran policías, se veía, no tenían revólver ni el palo de goma, sino que eran como los del rock en esas películas donde hay tantas gangas y se matan unos a otros por nada. Habían puesto unas barreras que éstas sí eran de la policía, pero seguro que las habrían robado y, además, entre barrera y barrera habían colocado unos cartelones feísimos donde habían pintado unas llamas muy rojas y debajo se leía en letras muy negras: *Stop! Attention! Satanists,* esta última palabra en letras todavía más gordas y con un negro más oscuro. A mí esto me sonaba a alguna película, supongo que en la tele, pero nunca lo había visto de verdad en la calle. Empecé a asustarme, se me encogía el ombligo, aunque pensé que no tenía razón y que esos vigilantes eran como los

170

que Juan me había dicho que lo habían detenido, también vestidos de cueros y además con cadenas y éstos lo habían dejado pasar adelante, todavía más a mí, pues, que era una enfermera y llevaba cosas para un enfermo grave.

El más alto del grupo, una especie de gigante negro, como esos que juegan al béisbol, me paró con una mano sobre el hombro que le llegaba casi a la cintura, porque soy bastante bajita, una petite, como dicen cuando voy a comprar vestidos, y con una voz que no era desagradable, al contrario, y se veía que se esforzaba por ser fino, o es que se burlaba de mí, me preguntó dónde iba, por qué había salido de la cuna para pasear por la calle aquel día que era mejor quedarse en casita con la mamá y el papá y así siguió un rato, y parecía divertirse, sobre todo con lo de la cuna, muy exagerado. De momento, todo eso me tranquilizó porque hablaba quedo y hasta con mucha urbanidad, pero al cabo de un rato, como no paraba, empezó a entrarme un miedo que no me cabía, porque yo no le hago ascos a los hombres, sobre todo si son altos y bien parecidos como éste, y no me importa el color, y estoy acostumbrada a hacer muchas cosas para contentarlos y que otras mujeres señoritas no tienen ni idea aun las que se las dan de muy desvergonzadas y viciosas y que dicen que no se espantan de nada, ni de drogas ni de los gayos o los transvestitos, pero qué va, se las ve que no las tienen todas consigo y que bailan como unas locuelas para disimular que se les mojan las bragas. Pero hay cosas que sí me dan un asco tremendo y me parecen que son hasta para enviar a la silla eléctrica, y es cuando hay hombres o mujeres que persiguen a niñas o a niños pequeñines, que ni siquiera han empezado a hablar, aunque sean de su propia familia, y les hacen cosas horribles que les dejan manchones para toda la vida, lesionados los pobres, eso no, de ninguna manera, deberían castigarlos enseguida y no esperar que se repita, y como el hombre alto y negro seguía hablándome como si yo fuera una niña de teta y no tuviera todo lo mío bien formado, pensé un momento si no sería uno de esos malos y que no teniendo niñitos a mano quería hacerme pasar por una criaturita.

Mientras pensaba en todo eso, y casi me venían ganas de puquear, pensaba en otras películas que había visto en la tele, aunque a lo mejor era la misma película, y aparecían unas sectas que llamaban justamente de los satanistas y era la gente más mala del mundo porque mataban nada más que para pasar el tiempo, y lo hacían muy despacio, con alambres, metales y ruedecitas de esas de los dentistas, y armando mucho ruido, infernal, que a veces se confundían con algunos de esos grupos del rock que dan muchos saltos gritando, y que ponen histéricas a esas señoritas bobas, pero no, el áncora en la tele lo relataba todo como si fuera muy serio, y al final decía que había cada día más satanistas en todas partes y no sólo en Los Ángeles y en Nueva York, sino en pequeñas ciudades también, hasta me pregunté si no los habría ahora ya en las Islas Vírgenes, que de todos modos habría sido más natural por lo de los vudús. Y el áncora decía varias veces al final, lo repetía mucho y por eso me acuerdo, que los satanistas eran como los que se hacen bautizar de nuevo, pero al revés, eso yo no me lo podía creer, ni pienso que nadie tampoco, pero el áncora insistía, decía que eran todos tan uirdos, tenían una razón y era la de que creían que Dios y el diablo están en una lucha a muerte, yo eso sí lo creo porque lo veo cada día, pero que no es seguro que vaya a ganar Dios, porque el diablo es fuertísimo, cada día se hace más fuerte y tiene más partidarios, hasta en el gobierno y en la iglesia. Al final terminaba diciendo, y se me ha quedado bien grabado ahí dentro, que muchos pensaban que el diablo iba a ganar, y que por eso había que seguirlo en todo, robar y asesinar y hasta hacer porquerías con niños pequeños, que es lo que más le gusta porque es lo peor de todo, por lo menos para mí. De este modo, el diablo, que casi siempre decían Satanás, protegería a los que le rezaban y Dios perdería, el pobre, y tendría que alojarse donde antes vivía el diablo, entre las llamas, y el Diablo subiría al cielo.

Esto no era lo más a propósito para tranquilizarme, porque si estos hombres altos eran de la secta de los satanistas, Dios sabe lo que me iban a obligar a hacer para ponerme a bien con el diablo.

Pero no. El negro alto, aunque debía de ser un satanista y partidario de las llamas, me trató muy bien y después de su discurso, que supongo para él debía de ser como un sermón, me hizo seña de que entrara en la deli.

A ambos lados de la puerta había otros dos satanistas, éstos de piel bastante blanca y de estatura mediana, como menos importantes. Me dejaron pasar sin mover un músculo; por lo visto, el negro alto era el jefe. Dentro de la deli había unas mesas junto a la pared con media docena de gente que no se distinguía por nada y que parecían estar esperando algo; supongo que sería algún interrogatorio para saber a qué iglesia iban y si querían juntarse con los satanistas.

Yo iba a sentarme como los demás, un poco inquieta ya por lo tarde que se hacía y lo ansioso que estarían el doctor y Juan, ninguno podía saber dónde me encontraba. Yo tenía muchas ganas de comunicarme con Juan para decirle, mira, ves, te equivocaste, hoy no se puede salir fuera, a lo mejor me encierran y entonces el doctor va a tener que esperar toda la vida y será peor. Apenas iba a poner mi fondillo sobre un trocito de banqueta de cuero que otro satanista, éste más bien joven, que parecía yo cuatro años más, pero iba también con su chaqueta de cuero, me hizo una señal con el dedo y me llevó hacia un lugar que vi era claramente la cocina de la deli, porque estaba lleno de platos y vasos y cacerolas, en completo desorden y muchos, lo que no parecía bien allí, porque en las paredes se veían colgando unos calendarios con unos candelabros de siete velas, todos muy bonitos y muy limpios, de modo que el desorden y la suciedad debían ser cosa de los satanistas.

El muchacho me hizo sentar en la única silla que había en la cocina y recogiéndome los dos bolsos los puso en un rincón. Luego se dirigió hacia mí y yo esperé que vinieran las preguntas y estaba rezando a la Virgen para que me diera ideas, pero el chico, en vez de preguntarme cosas, se inclinó hacia mí y empezó a olerme bien por todas partes, primero los lóbulos de las orejas y el cuello y allí se detuvo un rato largo, donde tenía el collar de puntillas. Yo le veía de reojo la cara con los ojos medio cerrados y oía que estaba como jadeando y venga oler y oler, como si sólo tuviera nariz y nada más. Yo casi no me atrevía a respirar ni a decir nada por si acaso le entraban ganas de coger alguno de los cuchillos que estaban con los platos y las tazas y probarlo en mi cara, que me da horror con sólo pensarlo, pero él no, fue bajando la cara y empezó a olerme primero debajo del brazo izquierdo y luego todo alrededor de los pechines. Yo me temía que estaba buscando con la nariz la llave del coche del doctor, que la había escondido dentro del sostén-senos; la verdad es que yo no llevo nunca sostenes, no los necesito y no me gustan y quiero estar libre debajo de la blusa, pero en este caso sí me los puse por lo de la llave, aunque tuve que buscar un buen rato y sólo encontré unos en la parte superior de un armario que había usado sólo una vez pero que habían estado abandonados durante tanto tiempo que pensé si a lo mejor no olían a húmedo o alguna cosa así. Bueno, el chico no dio ninguna señal de oler a nada extraño y fue bajando la cabeza, siempre oliendo, y cuando llegó donde cae el ombligo se arrodilló y levantándome las faldas, aunque estaban bastante estrechas y tuvo que hacer alguna fuerza, metió su cabeza entre los muslos y siguió oliendo, vaya uirdo. Yo me lavo siempre muy bien, de pies a cabeza, me refriego cuarenta horas antes de secarme y luego por si acaso me pongo casi una media botellita de perfume, porque a veces aunque una tiene mucho cuidado no se puede evitar y se suda o algo así. Yo estaba ya bastante avergonzada de estar allí como una bobita dejándole al muchacho sacarme todos los perfumes de encima con su nariz; son cosas que a veces dejo hacer a algunos clientes muy escogidos y sólo porque me lo piden mucho y me lo pagan ricamente, porque

175

si no les digo buenas noches y búscate una más cochina. No le dije nada de eso, no le dije nada en todo el tiempo, que me pareció una eternidad, pero la verdad es que a este crío no había ninguna razón para dejarle hacer lo mismo, me pregunto qué le habrían enseñado sus padres o en la escuela, si a esa edad le gustaban esas porquerías dónde iría a parar más tarde, sería algo, bueno...

Aunque no estaba nada segura de lo que haría ninguno de los satanistas, porque si el diablo estaba con ellos podían hacer cualquier cosa, me decidí, a lo mejor el rezar a la Virgen me dio la idea, poner la mano derecha fuerte sobre el bulto de la cabeza del chico debajo de mi falda y empujarla hacia fuera, hala, hala, ya está bien, le dije, ya es bastante, vamos, chico, mejor hablar un rato, y él que al final me obedece quizá ya se estaba ahogando allá dentro y hasta me pareció que estaba algo avergonzado con las mejillas muy rojas y el pelo desgreñado.

Sí, debía de estarlo, avergonzado digo, porque se le vieron unos lagrimones que le bajaban por las mejillas y empezó a decirme, como lloriqueando, que no lo tomara a mal, que se había juntado con los satanistas porque había oído decir que éstos lo permiten todo y hasta que quieren que se hagan todas las cosas que se prohíben para que el diablo esté más contento, y que él no sabía si lo que hacía estaba prohibido o no, pero se figuraba que sí porque nadie que conocía lo hacía, y era que desde chico, no lo había podido remediar, había tenido unas ganas tremendas de ser mujer y no sabía cómo conseguirlo porque tampoco quería vestirse raro o hacerse hacer una operación cuando fuera mayor, sino que esperaba que todo vendría naturalmente a fuerza de quererlo, y que por eso olía a las mujeres, especialmente a las jóvenes, que son las que huelen mejor, como a flores, pero con algo más, y esto le gustaba muchísimo y estaba seguro de que de este modo iría volviéndose mujer. Pobrecito, le dije, pasándole la mano por el pelo, me sentía maternalísima, como Juan pero al revés, pobrecito, lo debes de pasar muy mal, pero mira, te equivocas porque no hay nada peor que ser mujer, es peor que ser una perra si no se tienen montañas de dinero y aun así se pasan muy malos ratos, una vez al mes por lo menos, yo no me puedo quejar, porque a veces casi ni lo noto, pero a algunas, como a Minette, les cae malísimo, con unos dolores de cabeza tremendos y una depresión que vamos, dice que se quiere suicidar, ya ves que no es ninguna ganga y no te digo si tienen que cortarnos un pecho, yo antes me muero, etc. Pero él no, me respondió que pasaría por todo con tal de ser mujer, y que esperaba que un día, oliendo tanto, se iba a cambiar por dentro, todo.

Yo no había oído nunca una cosa semejante.

Pero me dio mucha lástima el chico, parecía bueno, y yo también debía de haberle dado lástima a él, y ahora qué van a hacer los jefes con esa mujer que huele tan bien, debía pensar, mejor que se vaya, y en vez de llevarme otra vez a la banqueta para esperar una semana a que me interrogaran, me devolvió las bolsas y me llevó, poniendo un dedo encima de los labios para que no hiciera ruido, por un corredor largo que iba a parar a un callejoncito y de éste a una calle que yo conocía y que ya no estaba tan lejos del RPPR.

Por fin, llegué a la puerta con el ventanuco.

Di vuelta a la llave muy despacio para no hacer ruido y no despertar al doctor, y evité unos cascotes antes de plantarme delante del sofá verde. El doctor estaba tendido tan largo como era, con los ojos bien cerrados, como si no hubiera oído nada.

Esperé un minuto o algo así, todavía con las dos bolsas que sólo había tenido que abandonar cuando lo del olisqueo.

Al final el doctor abrió los ojos y se sentó como de un salto envuelto en su bata muy arrugada y mirándome como si no me reconociera.

Pero tan pronto como le hablé y dije «¿Cómo se siente, doctor Arroyo?» y le dije que le traía unas cosillas de parte de Juan, la cara se le cambió toda. Entonces me sonreí...


Lo más urgente era que se cambiara de ropa, lo que no era difícil, porque casi no tenía que cambiar nada: sólo vestirse. Le puse delante la bolsa con la ropa y me fui para el vecé para no tener que quedarme cuando se vestía y también porque de repente me vinieron unas ganas de orinar tremendas; ya había tenido antes, cuando el chico me estaba oliendo, pero no era porque pensara en porquerías, sino porque estaba tan nerviosa, allí parada, sin atreverme a mover una chispita no vaya a ser que se me enfade y agarre un cuchillo.

Al entreabrir la puertecita cuando terminé vi que el doctor estaba ya listo y de pie. Estaba comiquísimo con los zapatos como de gigante, los pantalones tan abombados y el suéter que aunque era de hacía tiempo todavía le venía muy grande al doctor, no imaginaba que Juan estuviera tan gordo ya antes.

El doctor tenía una barba como de cinco años aunque seguramente era sólo de dos o tres días y se pasaba la mano encima y yo pensé que hubiera tenido que traerle una máquina y jabón o una navaja, pero mira con ese Juan, había puesto en el fondo de la bolsa un paquete con todo lo de afeitar, los hombres nunca se olvidan de esas cosas, es lo primero en que piensan cuando se despiertan los que no fuman, porque los que fuman, bueno, ésos sólo piensan en su primera chupada.

Estaba de lo más tímido con su jabón de afeitar y su maquinilla y no sabía qué hacer, pero yo le di la chance, me salí enseguida del vecé donde había un lavabo para dejarle paso mientras me alisaba la bata blanca, muy seriecita yo, sonriendo, parecía una verdadera señorita.

Él entró, como excusándose, como se hace en los hoteles de lujo, que conozco bastantes y lo que más me gusta de ellos son los lavabos, siempre tan relucientes y con todas las cosas que una necesita incluyendo el champú y el secador de pelo. Aquí no había tanto, pero, en fin, no era para desperdiciar y aun Juan me tenía siempre cajitas de jabón muy bueno, de ese especial para huéspedes, lo suficiente para quedar bien limpia, como me gusta.

Recogí la otra bolsa con la comida y me fui a la despensita para preparar algo. Juan siempre dice que soy una cocinera estupenda, una señora Childs, pero qué va. Lo único que sé preparar un poco bien son unas empanaditas, pero aquí no había chance, sin harina ni carne ni pescaditos ni nada de lo que se necesita, sólo latas, pero aun así preparé unos platillos de sardinas colocadas alrededor de un huevo duro, que no quedaba mal, y unos chipirones de esos que Juan compra en la Casa Moneo, de la 14. Había también galletas, una botella del rioja que a Juan le gusta más, un marqués, y en fin, lo bastante para salir del hambre, que es todo lo que el doctor necesitaba, y yo también. Aunque he dejado de crecer, y creo que voy a ser siempre más bien chiquitina, necesito alimentarme y no hago ninguna dieta; Josefina me envidiaba mucho porque me veía comer siempre y yo tan delgadita sin ser chupada, toco madera.

El doctor me lo agradeció mucho, todo, y no habló casi nada mientras comíamos sobre la mesa de formica, pero, eso sí, alabó mis guisos, que realmente no había para tanto, yo no había hecho más que poner cosas sobre los platos. Le dije, y era sincera, que tenía que agradecérselo todo a Juan, aunque me callé lo de que al principio no me parecía bueno que me dejara salir con las bolsas, y no dije nada tampoco, ni entonces ni luego, del chico que olisqueaba porque, bueno, porque una no va a contar todo lo que le pasa, no habría tiempo.

Durante como una hora estuvimos sin decir nada, y no era fácil sobre todo cuando no hay nadie más y no se oyen músicas ni ruidos, una llega hasta a ponerse nerviosa. Pero algo se rompió de repente, quiero decir que empezamos a abrir la boca, no se podía hacer otra cosa si no se revienta.

El resto del día, toda la tarde, hablamos de un montón de cosas, es decir, más bien habló él, que para eso parecía que se le iba la timidez, y además yo le escuchaba con la boca abierta porque estaba segura de que iba a aprender mucho y nunca había tenido esta chance.

Por cierto, que hablando de chance, me llenó la cabeza diciendo que esto es muy importante y que los griegos, que admira mucho y hasta creo que es un poco fanático en eso, explicaban muchas cosas por la chance, que él decía no hay que decir chance sino más bien ocasión, y que, bueno, era como un dios —yo habría dicho más bien una diosa— que lo manda todo y que, por ejemplo, ahora hizo que nos encontráramos en lo de Juan y no en otro sitio, aunque a mí me pareció que no podía ser así del todo, porque si nos encontrábamos aquí era porque Juan me mandó venir con las bolsas y también porque yo hacía tiempo que tenía ganas y él parece que también, y lo que dos quieren que pase, pues pasa, chance o no chance. Pero el doctor me contestó que es sólo poque no lo sabemos, pero el dios de la ocasión, un nombre que me dijo que en griego empieza con una ka, cosa rara debería empezar con oka más bien, está siempre al tanto, vigilándolo todo; al final, casi me convenció sobre todo cuando recordé que un gallego amigo de Juan hablaba también de la ocasión, como si fuera una señora, y decía muchas veces que la ocasión la pintan calva; exacto, respondió el doctor cuando le hablé de eso, y entonces comprendí por qué el gallego lo repetía tanto y era que a ese dios, o diosa, lo pintaban muy raro, con una cabeza como una bola de billar pero con un mechón que había que agarrarlo y no soltarlo hasta que suceda lo que una quiere. El doctor acababa siempre por tener razón aun si exageraba un poco con los griegos; los que yo he conocido no parecen tan interesantes.

Ya que estábamos con esos griegos, y nunca se fueron del todo, Leo me inventó un nombre que al principio, aunque no aparecía en mi cara, no me agradaba mucho, a mí me gusta lo de Felicia, porque me parece muy alegre, pero el doctor, quiero decir Leo, insistió en que no, Felicia es muy bonito, pero mejor Calipso. Yo estaba a punto de enfadarme un poco, me parece que es la única vez que me ha ocurrido con él, porque lo de Calipso me sonaba a chapurreo y a timbales y tantanes, que son muy buenos si se saben tocar y se puede bailar la mar de bien, pero que no son cosas muy distinguidas, y a los yanquis les gustan sólo porque hacen turismo y toman el sol para ponerse bien tostados; lo que, además, no me gustaba nada con lo de Calipso era haber oído una canción del tiempo de la nana, miles de años antes de nacer yo, y que algunas veces todavía se toca en la radio, y es una en que se habla de ron y coca-cola y de dos chicas que se llaman Magda y Dora y que pescan dólares, bueno, en principio, esto es así muchas veces pero es ridículo ponerlo en una canción y, además, ya no es verdad porque el dólar está bastante flacucho y la canción no está muy al día. Esta vez le costó bastante al doctor convencerme, porque a mí sí que no me importaba que fuera griego o chino, y además la historia que me contó me pareció de lo más ridícula con ese viejo que se pasaba los años llorando sobre una roca cuando tenía a mano una chica que vamos; hay que ser bien tonto para no aprovechar la chance. Sólo me pareció bien que la tal Calipso pudiera vivir siempre, eso es lo que a mí me gustaría más sobre todo de estar siempre joven y bonita. Entonces le dije que sí, que me llamara Calipso si esto le daba gusto, pero que debajo seguía la Felicita de siempre, que es como se me llamó desde chiquita y ya me había acostumbrado.

Para decir algo yo también le conté un poco de lo que Juan me había dicho sobre los miles y las bombas atómicas y también sobre el que a Juan lo habían detenido varias veces unos grupos extraños que se habían apoderado del barrio y de otros lugares y sin que aparecieran policías o guardias a caballo. Le conté también algo de los satanistas, y esto le interesó mucho, sobre todo el nombre, quizá no hubiera tenido que decirle nada, porque durante un buen rato estuvo dale que dale sobre unas sectas que ya había habido antes, hace no sé cuántos años, que también creían que Dios y el diablo se disputan y que el diablo iba a ganar al final, de modo que lo mejor era ponerse a bien con él y hacer toda clase de porquerías, hasta con animales, que a mí me vienen ganas de puquear cuando lo pienso, pero el doctor lo tomaba como cosas de ideas y no parecía feo, sobre todo cuando se decía en griego, que no sabiéndolo ni una chispita, para mí no era distinto que recitar poesías. Yo no sabía si decirle o no algo del chico que me había olisqueado, pero al final no dije nada, ni pío, mejor porque a lo mejor no lo habría creído, a estas horas ya casi ni yo misma me lo creo, lo debo imaginar y es porque, como decía Minette, es porque lo quería y en el fondo tenía ganas, vaya tontería, si tuviese tantas ganas me lo dejaría hacer muy fácil y eso no es así, Minette siempre quería hacer de médica o de consejera social, que es lo mismo para estas cosas. No venía muy a cuento, pero le expliqué entonces al doctor por qué había llegado como vestida de enfermera y supongo que es porque en aquel momento me acordé del chico que me levantó la pollerita. Lo de enfermera le hizo mucha gracia a Leo y también le pareció muy bien, tanto que insistió que siguiera vistiendo ese uniforme —bueno, pavito, ¿y qué si no? no había traído otra cosa.

Muy serio dijo Leo que empezaba a ver lo que había sucedido y era que con la alarma se había producido un gran desorden y que algunos lo querían así porque les convenía para sus intereses. Así se formaron grupos que ocuparon partes de los barrios y hasta trozos de calle, esto sucede casi siempre que hay alguna gran catástrofe, tornados o bombas atómicas, es igual, y va a ser muy difícil desalojarlos luego, habrá como una guerra, no sé cómo sabía todo eso sin haber visto gran cosa, ni haber oído la radio o la tele, pero es igual, todo era muy clarito para él. Aquí parece que le entraron aún más ganas de hablar y no paró durante un buen rato, casi no me dejaba decir nada, aunque algunas de las cosas que decía no parecían muy ciertas cuando menos por lo que yo había visto en la calle cuando sonó la alarma y me asomé a la ventana y también por lo que me había dicho Juan.

Bueno, no quiero criticarlo a Leo, ¿cómo lo voy a hacer yo, tontita de mí? Además de que él debe de saber cosas que ni yo ni Juan no sabemos, desde luego, yo no sabía nada de lo que podía ocurrir si explotaba una atómica; en cambio, él parecía saberlo todo, cuando explota a ras del suelo, cuando en el aire, y según lo alto, y según si tiene tanta fuerza o menos, y lo que les pasa a los que están cerca y a los que están más lejos y luego a los que están aún más lejos, que se escapan poquísimos por lo visto, y si no mueren o quedan desfigurados les viene el cáncer, parece que lo tienen todo calculado. A mí todo eso me parecía de pesadilla que casi dejé de escuchar durante un rato y no me enteré de lo que decía, o no mucho, sobre todo cuando empezó con lo del infierno, y que del infierno vendría el invierno, y de eso no entendí jota y me pregunté si el doctor, Leo, no me lo habrían trastornado en el hospital, porque no se entiende cómo del infierno, que es tan caliente, puede venir el invierno, que es tan frío.

Lo que dijo de los miles, de eso no me entró casi nada, porque era demasiado complicado, sobre todo cuando empezó a hablar de un libro en el que estaba muy interesado, pero sin darme detalles, como si yo lo hubiese leído también, cosa que no haría aunque me lo regalasen porque parecía estar lleno de historias que acaban siempre mal, con personajes muy de fantasía, como la Puta de Babilonia, que no pude saber lo que hacía ni de qué se la acusaba, a lo mejor sólo por ser de Babilonia, quién sabe.

Yo empecé a cabecear y le ofrecí algo más que comer, pero sólo quiso una manzana que empezó a mascar en silencio, piel y todo, y de nuevo estábamos como al principio sin decir palabra, y yo creí que eso era todo y que nos íbamos a dormir, él se volvería al sofá y yo me las arreglaría con unas toallas que había en el vecé, aunque en el fondo estaba convencida de que él insistiría en que yo usara el sofá como cama y él se las arreglaría con las toallas o con el suéter como almohada. A la mañana siguiente yo me volvería a lo de Juan y él trataría de recobrar el coche, pero de repente me dijo que se le había ocurrido una idea mucho mejor, que yo debería aceptar, y era salir de Nueva York conmigo en su coche y pasar un tiempo en la casa de campo que tenía en un lugar muy tranquilo y con un nombre muy bonito todo el tiempo que se necesitaba hasta que pasara lo peor y pudiera volver a la 12 sin peligro. No me pareció mala idea, todo lo contrario, yo, además, tenía ganas de ver esa casa de la que me había hablado Juan, sólo que le dije enseguida que habría que recoger a Juan también, que nos había ayudado mucho y que era muy bueno. Al principio parecía vacilar un poco, pero muy pronto dijo que sí, naturalmente, Juan también, y podría esperar lo mismo, hasta que hubiese orden, seguramente no tendría inconveniente porque ahora el establecimiento estaba ya preparado para que nadie lo robara. Así es que saldríamos mañana tempranito, igualmente vestidos de doctor y enfermera para que nos dejaran pasar en todas partes hasta llegar al garaje, por allí la calle 3, cerca de NYU.

Con esto estaba terminando su manzana, pero no sé si fue la manzana que le habría dado fuerzas o el que estaba yo allí, tan cerca y olía especialmente bien aquel día, el caso es que de repente se abalanzó sobre mí como si estuviera poseído del demonio; no se parecía absolutamente en nada al doctor Arroyo que yo había conocido, y terminamos sobre el sofá, que quedó tan puerquecito, los dos, y es lo que me ha dejado tan cansada luego y él tenía que haberlo estado también porque se quedó dormido y yo me fui al vecé para volver a perfumarme y traerme todas las toallitas y dormir un rato, ¿okéi?

10

  Hete aquí, doctor Leopoldo Arroyo Munz, profesor de lenguas clásicas, traductor de Safo y de Teognis, comentarista del Apocalipsis, *uomo universale in partibus infidelium* ridículamente ataviado con la bata blanca del doctor Frederick Bonner, MD, que ahora te viene estrecha porque, por debajo, protegiéndote del fresco de los inicios de la primavera, se arremolina el grueso suéter gris de tu amigo Juan Cosa y más abajo llevas esos enormes pantalones vaqueros que has tenido que ceñir con una cuerda encontrada en la pequeña despensa del Bar Río Piedras, Puerto Rico, y que tu acompañante, amiga, ninfa, Felicia Moro, a quien has decidido rebautizar con el nombre de Calipso, ha anudado en torno a tu cintura que hubieras deseado un poco más esbelta, pero ya es algo tarde, porque los años en los seres humanos podrían contarse de un modo parecido a como se cuentan los de los árboles: por círculos concéntricos, en tu caso de tejido adiposo que se ha ido acumulando con el tiempo. Calipso debe de tener bastantes menos años que tú; por lo que sabes, va para los veinte y está todavía esbelta como un junquillo y olorosa también, lo has podido comprobar no hace tantas horas, antes de quedarte dormido y sin pensar que habías decidido salir hoy del local a prima hora, apenas se insinuase la luz del día para emprender el periplo que te ha de llevar, con ella y con Juan, a tu refugio de New Hope, lejos de lo que todavía no estás muy seguro de lo que ha sido: infierno o paraíso.

En estos momentos se te ocurre que tal vez el nombre 'Calipso' no es el adecuado para nombrar a Felicia, porque 'Calipso' quiere decir algo así como «la que se oculta» y también «la que oculta», todo lo cual está relacionado con los muertos, sobre los que la Calipso homérica reina por ser diosa de cuevas, profundidades y subterráneos. ¡Pero tu Calipso no se oculta, ni oculta! Está siempre a la vista de quienes deseen mirarla a sus anchas. Apenas lo insinúas, sale contigo fuera. Respira a bocanadas el dudoso aire de la calle. ¿No hubiera sido mejor para ella el nombre 'Circe'? Al fin y al cabo, Circe estaba rodeada de hombres a quienes había impuesto formas de animales salvajes, por lo general bastante halagadoras. Y tenía poderes mágicos. No, no, Leopoldo, acertaste con 'Calipso'.

Ya se acerca el fin de la Odisea.

A tu lado, a la derecha, con la cabeza apenas rozándote el hombro, su lustrosa cabellera atada con una cinta roja, Calipso/Felicia ojea la calle. Sigue vestida de blanco, como tú, con una bata severa sobre la cual durante la noche, mientras tu dormías, y sirviéndose de un diminuto costurero que había acarreado entre las bastas ropas de Juan, bordó, en azul, las letras RN, que quieren decir «Registered Nurse», enfermera debidamente egresada de alguna Respetable Escuela. No sé si te has dado buena cuenta, Leopoldo, de lo lista que es esa chica. Putear hoy día sin drogarse merecería ya de por sí un doctorado en Inteligencia Práctica; hacerlo sin haberse contagiado de ninguna enfermedad venérea es digno de una cátedra en la dificilísima asignatura de Vivir su Vida; poder bordar, además, unas letras en azul sobre una bata blanca cuando sea necesario, pero sólo entonces, merece un Premio Nobel de Feminismo Bien Entendido.

Es cierto que lo sugeriste tú: «Para poder recobrar el Suzuki-Samurai, recoger a Juan y salir por el Holland Tunnel no más tarde que el mediodía, hay que salir mañana muy temprano con las batas blancas puestas para dar la impresión de que estamos únicamente ocupados en salvar vidas. Tú, por si acaso, dices que vas a donar sangre y que yo soy un ginecólogo a quien se ha llamado urgentemente para un caso particularmente difícil. Es increíble hasta qué punto la gente más asesina se enternece cuando se trata de partos y de salvar niños. La hipocresía debe de ser algo genético».

No le has dicho esto a Calipso o por lo menos no se lo has dicho exactamente de este modo, pero ella te ha entendido perfectamente. Está llena de entusiasmo por el nuevo rumbo que va a tomar su vida y se ve ya bajo el cielo tranquilo de Nueva Esperanza.

Antes de salir te has encomendado a tu *dáimon* que no te ha dicho nada nuevo; se ha limitado a repetir lo de siempre: «Por Júpiter, Leopoldo, tómalo con calma». Pero tú le agradeces el consejo, porque ya empezabas a ponerte nervioso y por poco echas a correr, arrastrando a Calipso, para alcanzar tu garaje, que así llamas a un vasto parque de estacionamiento, a unos tres bloques y medio, entre dos altos edificios de apartamentos debajo de un jardín con muchos bancos, columpios y niños.

Nada de correr, Leopoldo. Calma. Más calma.

Como estás un poco ensimismado pensando en nombres —Circe, Calipso— no te das cuenta de que las calles, que habías visto la última vez tan desiertas y cochambrosas, han recobrado su estado normal, todavía con mugre, pero definitivamente paseables. Es obvio que las han barrido y que empiezan a ser transitadas por gente mañanera, de modo que lo más probable es que dentro de dos o tres horas vuelvan a ser tan bulliciosas como de costumbre. Hasta te preguntas si realmente ha pasado todo tal como lo pensaste. ¿Y qué hace esa morenita vestida de enfermera a tu lado, a menos que sea del Hospital General y te haga tomar el fresco para que te recuperes más rápidamente? O a menos que sea, de nuevo, Safo que se haya enterado de que ya enviaste unas cuartillas anticipatorias de tu traducción y de que te han expedido las galeradas. Pero no, las miras, te sonríe y concluyes que es justa y precisamente Felicia/Calipso. Te sientes más animado.

Entre la gente mañanera ves a unas chicas que tienen aspecto de estar matriculadas en alguna de las escuelas del barrio, porque acarrean como desganadamente varios libros y cuadernos mientras fijan sus ojos en una pantalla chiquitina, sacudiendo la cabeza rítmicamente. Reconoces el aparatito: es un vidaudio que se ha hecho popular en los dos últimos años y que ningún adolescente, o preadolescente, abandonaría por nada del mundo. Funciona con pilas y permite insertar una videocassette microscópica. Este artefacto ha producido ya la muerte de varios miles de vidaudistas atropellados por vehículos, pero las autoridades no se han atrevido a prohibirlo porque sabían que de hacerlo se desencadenaría una revuelta popular. De hecho, no han prohibido ni siquiera la actuación de varios grupos roqueros que a veces usan pistolas con el fin de desembarazarse de los fanáticos que después de horas y horas de mover los brazos frenéticamente, se arrojan sobre ellos para tocar un hilo de su extravagante atuendo. Aunque ha habido ya varias víctimas de estos excesos, no se ha acusado a nadie porque psiquiatras y sociólogos han concluido que cuantos más espectáculos delirantes de este género más disminuye el consumo de drogas en la población escolar de los nueve a los trece. Los estupefacientes resultaban innecesarios porque el llamado SOPA (síndrome del orgasmo preadolescente) batía a cualquier droga.

No tienes idea de si Calipso está enterada de todo eso. Por el aire indiferente que pasea ante esos candidatos y candidatas al SOPA, si sabe algo obviamente no le interesa.

En cuanto a ti, Leopoldo, nada de eso tendría que sorprenderte, o alarmarte, porque algunos de tus griegos fueron aún más lejos y se divirtieron seguramente mucho más con sus danzas y orgías dionisíacas.

Sigues recorriendo Thompson hacia arriba, por la izquierda, y sigue sorprendiéndote que todo parezca tan normal, tan *déjà vu*. Al llegar a la esquina de Prince ves el mercadito de frutas y flores (H. & H. Kim Corporation) que parece haber estado allí desde el comienzo de los tiempos. Está aún cerrado, aunque se ve gente en el interior preparando tiestos y ramos; si no tuvieras tanta prisa —aunque cada vez menos justificada— esperarías para comprarle a Calipso un ramo de rosas; de seguro que se sujetaría una al pelo al modo de las muchachas de las Islas Vírgenes. Atraviesas Prince y sigues perplejo. Si hubo todos esos saqueos y pillajes de que te habló Juan y de los que tú mismo tuviste pruebas, ¿cómo no parecen haber sufrido esas tiendas el menor daño? Nada viste de anormal en la Indian Reservation y lo mismo ocurre con esa ristra de galerías entre Prince y Houston. ¿Habrán jurado los presuntos saqueadores que no había más que chatarra en Opal White? Los saqueos reales no proceden tan discriminadamente. ¿O habrá sido todo pillado y saqueado sólo más abajo, justa y precisamente hasta la altura del RPPR?

Desde los severos muros de la residencia de franciscanos, Calipso está observando una tienda de vestidos de mujer (Betsy Johnson) al otro lado. Da la impresión de que le interesaría dar una ojeada a la vitrina, pero tú le das prisa, porque todavía no estás muy seguro de que lo que se considera normalidad se haya restablecido definitivamente. Podrías pasar, desde luego, a la otra acera y hasta dar una ojeada a Eileen Lane Antiques, pero si este género de «antigüedades» no te ha interesado nunca, ¿por qué vas a empezar ahora? Mejor atravesar Houston, pasar junto al Buen Día, en la esquina, con sus artículos pseudoincaicos, y al lado del Tarot Card. Psychic Reading, que no has sabido nunca si es lo mismo, y atravesar la calle, ahora ya muy cerca de Bleecker.

No sabes si es la vista de los dos restoranes, el Rocco y el Little Bucarest, que de todos modos sólo abren por las noches, o el puro sentido común, que Calipso te hace la sugerencia de «tomar algo» antes de emprender el viaje en coche.

Ya habéis alcanzado Bleecker, a un tiro de pichón de West Broadway y ya no muy lejos de tu parque de estacionamiento. Puesto que todo sigue en ese extraño estado de normalidad, con más gente aún atareándose en la calle, decides seguir la sugerencia de Calipso. Al otro lado de la acera se despliega una sarta de pubs y restoranes, desde el Pastarific hasta el Marrakesch, el Rock & Roll Cafe y etcétera. Vas a preguntar a Calipso cuál prefiere, pero te das cuenta de que están todos cerrados. No os queda más remedio que entrar en ese incongruentemente llamado The Triumph, en vuestro lado de la calle, antes del Bleecker Street Cinema.

El local está siniestramente iluminado y lo primero que os entra por la nariz es una vaharada de fritura. Os sentáis en una banqueta de cuero rojo. Llega el que supones propietario, porque en vez de arrojar la «Lista» sobre la mesa y desaparecer os pregunta, lápiz y cuadernillo en mano, qué queréis. «Café y tostadas», respondéis a la vez, cualquier cosa menos esa omnipresente fritura.

No sabes por qué imaginas que el dueño es armenio y que no se negará a hablar un rato.

Has imaginado bien, porque apenas le preguntas si ha pasado aquí algo que sea interesante para alguien que viene... que viene... vacilas un momento y dices «de Trinidad», os inunda, torrencialmente, de palabras y exclamaciones.

¡Oh sí! por supuesto, han pasado muchas cosas, alarmas, gentes corriendo de acá para allá, anuncios de secuestros, apagones, rumores de que ha habido mucho pillaje por algunas zonas, la policía parece haber desaparecido, pero hay unos representantes de unos grupos que dicen que se han hecho cargo de la situación; esos grupos parece que son muchos y todas estas calles las controlan unos llamados satanistas, aunque se ha oído hablar también de otros, como los mansionanos y los rosanistas...

El último nombre te parece improbable, pero como has aprendido ya mucho sobre los movimientos apocalípticos y tu memoria sigue tan alerta como siempre, piensas que a lo mejor se ha formado un grupo de fanáticos que sigue las doctrinas del autor de un extraño engendro, el *Apocalipsis de nuestro tiempo*, Vasilij Vasil'evic Rozanov, un ruso que según algunos fue un genio y según otros un loco, y es posible que fuera ambas cosas.

Que sí, que sí, que todo anda de cabeza para abajo, pero si se piensa bien, da lo mismo; que nos manden esos grupos o el gobierno, todo igual, no nos van a perdonar los impuestos, los mismos perros, ladrones, etc.

Mientras habla el supuesto armenio, termináis los cafés y las tostadas, salís del aire caldeado por el jamón y los huevos fritos, atravesáis West Broadway, pasáis enfrente del supermercado (ahora cerrado) donde Calipso te ha dicho que a veces se abastece. Ya no os queda sino un trechito para llegar al primer punto del periplo: el «garaje».

Tan familiar todo eso: el arco entre los dos edificios de apartamentos, el jardín, ahora sin niños o viejos sentados leyendo el diario, la gran puerta de entrada.

Que también está cerrada, pero no te desanimas: ocurre muchas veces, cuando el local está al bote y esperan a que quede un vacío. De todos modos, los que tienen su vehículo estacionado dentro, pueden entrar por una puerta lateral.

Entráis dentro y te preguntas si no te has equivocado.

Para empezar, ni un solo coche.

A diferencia de muchos otros, este «garaje» tiene un solo piso, pero es tal la altura del techo que podían habérsele fácilmente insertado otros dos. Ahora parece más bien un estudio descomunal para un pintor exclusivamente interesado en murales gigantescos.

El lugar es tan vasto que te da la impresión de estar vacío. No es así: pronto ves a una multitud de gente con aire de artistas. Ves a otros que, por los aparatos que acarrean, parecen ser más bien especialistas en *multi-media* y en *mixed media*. Por doquier lienzos, bastidores, brochas, espátulas, escayolas, yeso, arcilla, pedazos de mármoles y maderas, cámaras, proyectores, bobinas, casettes, pantallas. Divisas varios murales medio terminados, con inmensas superficies sobre las que se proyectan, a veces sobreimpuestas, películas y diapositivas.

Te preguntas si te has equivocado y si te hallas, en efecto, en el interior de *tu* parque de estacionamiento o bien sobre un escenario colosal donde se va a representar algo muy impresionante —por ejemplo, la historia del mundo—. Tu pregunta tiene pronto respuesta: al levantar la vista hacia el techo ves, desplegado de pared a pared, un larguísimo cartelón en el que se leen, repetidas, estas palabras:

«*The Artists of SoHo present*
*A Sample of Chiliastic Art*
*Apocalypse Now!*»

Ya no tienes grandes dudas. Algo debía de haber pasado que hiciera posible a los artistas del barrio el uso de todo un parque de estacionamiento para realizar lo que da la impresión de ser un proyecto superestrambótico. Y sólo una alarma muy seria podía haber inducido a las autoridades a vaciar este local para —pongamos por caso— alojar muertos y heridos. Luego debió de producirse un gran pánico y las autoridades se vieron impotentes para controlar el desorden. Saqueos, atracos, pillaje. Al fin algunos grupos de incontrolados comenzaron a controlarlo todo. El público se acostumbró deprisa.

Estás evidentemente reconstruyendo el pasado, pero no tienes más remedio que confeccionarte una versión de los acontecimientos.

En la zona que se extiende desde NYU, acaso desde tu propio apartamentito en University Place, hacia SoHo y luego posiblemente una sección de TriBeCa han tomado el control los artistas. No por sí mismos, que esto sería mucho pedir, sino como subordinados a algún grupo más capacitado para mandar y, sin embargo, lo bastante tolerante, o lo bastante indiferente, para permitir que

196

los artistas gocen de libertades que no interesan a nadie. Conjeturas, además, que ese grupo es el de los satanistas con los que Calipso se había topado. Lo único que en esto les interesaba era el tipo de mundo que los artistas podrían representar. ¿Un mundo apocalíptico? ¡Excelente idea! ¿Un arte quiliástico? ¡Adelante!

No, no imaginaste nada. No soñaste nada. No tuviste ninguna pesadilla. Todo fue tal como lo recuerdas: la camilla del hospital, la preparación para la anestesia, la alarma, la enfermera-ángel, la despavorida huida de los hospitalizados, el muerto en el rellano de la escalera, el derrumbe del piso, las víctimas, las calles saqueadas, la llegada al RPPR, el largo mono-diálogo de Juan, el sofá de cuero verde. Felicia, Calipso, el sofá de nuevo... Todo, todo.

Y ahora este ejército de artistas y especialistas afanándose por ofrecer al público una auténtica muestra de arte apocalíptico. No dirás que las cosas no se van poniendo interesantes.

Mientras te confirmas que así es, por poco te olvidas de Calipso. Te habías propuesto contarle algo acerca de los terrores apocalípticos y acerca del significado de «quiliástico» y de repente ha desaparecido.

¿Por dónde andará? ¿Se habrá metido en el laberinto de los yesos, los lienzos, los potes de pintura?

Estás preocupado: apenas empieza el retorno a la nueva esperanza, que Calipso se esfuma.

No te preocupes. No está muy lejos: junto a una tela ya embadurnada de rojo sanguinolento. Habla animadamente con un sujeto bajito, algo jorobado, un poco guarro, bastante desgreñado. Te acercas a la pareja y ¿a quién ves sino al profesor Grossmann? El mismísimo David Grossmann, jefe del departamento de historia del arte en NYU, especializado en la Edad Media y el Renacimiento, con una tesis fundamental sobre los comentarios al *Apocalipsis* del Beato de Liébana, una multitud de artículos eruditos altamente estimados sobre Honorio de Antún, los grabados en madera de Albert Dürer sobre el *Libro de la Revelación*, las relaciones entre las representaciones pictóricas de algunas escenas bíblicas y varias escenas domésticas en Bruegel; y una monografía sobre varias misteriosas bestias en los trípticos de El Bosco, Hieronymus (o Jheronymus) Bosch, también llamado Jerom o Joen van Aken.

Sigues siendo un memorión, Leopoldo.

Y tenías razón: esa chica es una alhaja. ¿A quién mejor acudir que al profesor doctor David Grossmann para saber qué se está guisando en ese inmenso taller-estacionamiento?

Te han visto y se acercan. Os habéis saludado, el profesor Grossmann y tú, con ocasión de alguna reunión en pleno de la Facultad. Tú sabes que es una eminencia en su materia. Él presume que debes de conocer suficientemente la tuya. Tú sabes que él no sabe que has traducido a Safo y que te atrae todo lo relacionado con el *Apocalipsis*. Él presume que no tienes la menor idea de por qué él está aquí en estos momentos y por qué tanto ajetreo de pintores, escultores y proyeccionistas.

Te lo explica en un periquete. Calipso, entretanto, hojea unas inmensas láminas sobre un caballete de pintor al tiempo que ojea la Gran Obra de Arte que, según le ha informado el doctor Grossmann, se va a terminar muy pronto.

«Sí —te dice Grossmann—, hubo una alarma nuclear y todo se fue al carajo. La "comunidad artística" (así la llama) tuvo suerte porque no hubo saqueos en SoHo. Estamos ahora bajo la vigilancia de los satanistas, que no desprecian ni mucho menos el arte. Es, nos han asegurado, la mejor manera de dar a entender a la gente humilde que estamos en pleno período quiliástico y que se avecina la Gran Lucha. Lo de las bombas atómicas fue sólo un incidente pasajero. Explotarán o no, pero la Gran Lucha, ésta no la evitará nadie. El Mal, que es el Bien, contra el Bien, que es el Mal. Nosotros tenemos que estar en favor del Mal, porque va a convertirse en el Bien. Ya me entiende, doctor Munz, porque aunque en todo eso hay mucho que procede de antiquísimas tradiciones orientales, hay quizás aún más de griego. De griego tardío, claro, pero helénico al fin y al cabo.»

Ahora comprendes por qué el profesor Grossmann tiene tanto éxito entre el alumnado. La paradoja brillante envuelta en una oscuridad impenetrable.

«Los satanistas pidieron a los artistas de SoHo que prepararan para el público una muestra de arte quiliástico. Ofrecieron generosamente este local. Todo para el arte.

»La mayor dificultad radicaba en los propios artistas. ¿Cómo vamos a representar la sensibilidad apocalíptica? Algunos, para mí demasiados, abogaron en favor de una "Obra" basada en el arte contemporáneo. Lo malo es que hay muchas cosas que se llaman "el arte contemporáneo". No hubo modo de llegar a un acuerdo. Por fin, decidieron llamar a consulta a los especialistas. Por un dichoso azar yo estaba disponible; los demás colegas se habían esfumado.

»Sin necesidad de pensarlo mucho, les brindé la posibilidad de un *remake* del arte quiliástico. Como usted sabe, doctor, lo que se llama milenario suele tener lugar no cada mil años, sino cada quinientos. En torno al año 1500 hubo grandes terrores de índole apocalíptica; posiblemente más aún que alrededor del año 1000. Además, el arte, sobre todo la representación pictórica —incluyendo miniaturas—, escultórica y arquitectónica había alcanzado un gran esplendor. Arte sofisticado si los hay. El arte del *Dies irae* por excelencia. Además (estamos entre colegas), yo lo conozco mejor que nadie. Me ofrecí a prestar a todos los artistas mis servicios. Mi conocimiento de las obras pictóricas de Hieronymus Bosch es insuperable. Propuse tomar como base *El último juicio, El jardín de las Delicias* y la menos conocida, pero nunca suficientemente admirada, tabla *La carreta de heno.* Para calmar a los contemporaneístas *enragés* insistí en que se trataría de un *remake* y de que habría completa libertad. Hasta se permitiría que unos trabajaran con entera independencia de otros; al final ya se vería el resultado. Esto puede explicar algunas incongruencias. En la hoja central de *El último juicio,* éste es presidido por dos dioses. Uno de ellos se aproxima bastante al modelo del Bosco; sentado sobre un arco iris, amplia capa, etc. El otro es ese sujeto, también sentado sobre un arco iris, pero rodeado de pequeñas pantallas de televisión en marcha exclusivamente con anuncios. Una alusión, que nadie ha entendido bien todavía, de June Paik.

200

»La libertad es completa dentro de cierto marco general. Desde aquí, a la izquierda, se ve *El último juicio*; en el centro, dominando el conjunto, *La carreta de heno*, y, a la derecha *El jardín de las Delicias*. Pero —para dar sólo ejemplo entre tantos—, la gran masa de heno sirve asimismo de pantalla para una proyección cinematográfica. Lo que cabría esperar —esos artistas no siempre tienen mucha imaginación—: soldados gaseados en la Primera Guerra Mundial, el Holocausto, niños esqueléticos muriéndose de hambre en Etiopía o en el sur del Sahara, la inevitable seta de la bomba atómica explotando en Alamogordo, etc. Yo, francamente, habría proyectado otras cosas: Charlie Chaplin, películas del Oeste y, sobre todo, *camp*, mucho *camp*. Los contrastes, ¿comprende?, la esencia misma del arte. Lo que sí han hecho muy bien los artistas de SoHo y se lo aplaudo sin reservas es tratar de integrar a seres humanos *vivos* en el conjunto. Desde aquí puede ver a algunos que ya se han instalado en diversos puntos de la Obra. Se espera a otros que han prometido su colaboración. Cada uno puede elegir su sitio, el atuendo y la postura que más le guste. Una gran oportunidad para personas de talento. ¿Qué opina, doctor? Acaso la señorita...»

Lo que imaginaste: Calipso aplaude, entusiasmada, esta delirante idea. Tú, en cambio, tienes tus reservas.

«Doctor Munz: no sigo: ya lo irá viendo todo. Cuando la señorita quiera, puede pasar al sitio que le agrade. Para no fatigarse inútilmente, en el caso de que desee sustituir a algunas de las figuras que están de pie, puede esperar hasta el último momento. Aunque éste se acerca, se acerca... Señorita, vaya usted examinando estas láminas, ya veo que le interesan. Compárelas con el *remake* y cuando haya decidido nos informa acerca de dónde quiere figurar. A sus pies, señorita.»

Lo que acaba de decir el profesor Grossmann no te ha gustado nada. Su sentido del humor es un poco grueso. Lo de «A sus pies, señorita» huele inclusive a broma de mal gusto.

«No le he informado de algo muy importante, doctor Munz. Hay una trampita (*There is a catch here*), pero si se lo digo todo ahora, el tinglado pierde su encanto. No me pregunte, doctor Munz. Tiene que ser una sorpresa.»

Vas a pedirle que, de todos modos, te anticipe algo, pero no te da tiempo. Se encamina hacia el lugar donde están rehaciendo, en el panel derecho del tríptico *El carro del heno*, las llamas del infierno. Lo hacen a base de muchas luces de colores que se encienden y apagan produciendo un efecto estroboscópico. Tú te quedas con Calipso, que está muy interesada en elegir su papel en lo que promete ser un espectáculo para acabar con todos los espectáculos.

Los comentarios de Calipso mientras va pasando las láminas son casi siempre sorprendentes y a menudo no exentos de gracia.

«¡Fíjate en ese como mexicano que está degollando a un pobrecito tendido en el suelo! No me dirás que no es mala sangre. Luego, esos huevos enormes, raros, con gente dentro o un cuello de pájaro que sale de la cáscara. Para mí que este pintor debía de estar arrebatao.»

Calipso se fija preferentemente en las hembras: «Casi todas rubias y bastante sosas. Todas con unas teticas que apenas se ven y con un aire de

202

a-mí-no-me-pregunten. Sólo muy de vez en cuando hay unas negritas, pero no sé si es la pintura. ¿Qué hago yo aquí tan morenita? Mirando bien, alguna se puede encontrar: esa, muy abajo en lo del heno, es la que más se me parece, pero no me gusta nada la señora que la coge de la manito.»

Sigue:

«El elefante qué lindo, pero lo que es la jirafa, nunca se ha visto una tan deforme. Las jirafas justamente son muy graciosas.»

Y sigue:

«Lo de la manzana ya lo sé, pero nunca lo he entendido bien. Las mujeres siempre tenemos la culpa de todo. Mira, Eva, será Eva, ¿no?, no sabe dónde ponerse la manito.»

Y así sucesivamente.

Por fin se decide:

«Mira, al final me he decidido por la morena con la señora seria. La señora me parece todavía muy matraca, pero no hay otra chica que se parezca tanto a mí, ni de lejos. Me voy para allá. Hazme una señal diciendo si luzco bien.»

Un capricho como cualquier otro. Ves a Calipso alejarse para ocupar su puesto en la parte inferior del panel central (agrandado) de *El carro del heno*. Le señalas con la mano que luce que ni pintada. Ni ella ni yo nos hemos acordado de que aún vestimos los uniformes blancos. Pero el arte quiliástico puede permitirse muchas libertades.

Miras hacia la derecha y a poca distancia ves al profesor Grossmann que hace gestos como de «¡Colóquense! ¡Colóquense! ¡Despejen! ¡Despejen!» y que agarra con la mano derecha un objeto parecido a un control de la pantalla de un televisor.

Pero entonces, ¡infeliz!, ¿no te das cuenta?
Has leído en alguna parte, pero no le habías prestado mucha atención, que una de las formas de arte más *à la page* es el *SDA (self-destruct art)* la-obra-de-arte-que-se-destruye-a-sí-misma una vez terminada. Siempre pensaste que eso podía pasar en teoría, pero que en la práctica resultaba oneroso. Tenía que habérsete ocurrido que semejante teoría le iba como anillo al dedo al «arte quiliástico».
Esta vez con ayuda de un control remoto.
El gesto del profesor Grossmann, con su adminículo en la mano, no da lugar a dudas.
Das unos pasos adelante para salvar a Calipso de la inminente catástrofe. Cuando estás apenas a mitad de camino, se oye la primera explosión. Con ella se pulveriza el panel derecho de *El jardín de las Delicias*. Las explosiones se van sucediendo, de derecha a izquierda, levantando llamas y nubes de polvo. Súbitamente empiezan también por la izquierda, donde está, presidiendo el juicio final, el dios circundado de pantallitas.
Alcanzas a Calipso, que está gritando de terror, paralizada, la agarras por los brazos, la arrastras hacia ti, sin darte cuenta le clavas las uñas, no te importa hacerle daño con tal de que te siga, de que se aparte de este horror absurdo, de este infierno grotesco, de esta invención diabólica, de este apocalipsis de pesadilla...

11

Sigo forcejeando, clavando un poco más las uñas, tratando de que Calipso me siga, me comprenda que esto no es ninguna broma, que es el infierno, un apocalipsis artificial creado por un monstruo jorobado, pero me faltan las fuerzas, cedo, se me dobla el cuerpo y la cabeza desciende sobre una superficie blanda, una almohada.

— ¿Se siente algo mejor, doctor?

Abro los párpados, veo una piel blanca, un pelo castaño, un rostro ansioso. No es Calipso, ni Safo, ni la enfermera-ángel. Es una enfermera, eso sí, pero sin características especiales, una de tantas, cumpliendo con su deber. Me pregunto dónde estoy, cosa absurda, porque es obvio: en una cama de hospital, una habitación sin color, ordenada y aséptica.

— Estábamos muy preocupados, doctor. Por suerte, no había empezado la anestesia. ¿Recuerda?

No recuerdo nada. Yo, tan memorioso, no recuerdo absolutamente nada.

La enfermera me toma el pulso y me tranquiliza.

— Su pulso está perfecto, doctor. Hemos tenido una suerte loca. Íbamos a empezar la anestesia...

Ya lo había dicho antes. Pero ahora sí recuerdo. Estaba bajo el efecto de un fuerte sedante, se oyeron timbres de alarma, hubo muchos pasos por aquí y por allá. Las luces, de repente, se apagaron...

Como si continuara mi recuerdo, la enfermera empieza a ilustrarme:

— Sí, se apagaron las luces de repente, una avería gravísima y lo peor es que los generadores tampoco funcionaban, y no sabíamos qué hacer, pero al final decidimos enviarle a la habitación y...

¡Qué estupidez! Nadie me envió a ninguna habitación. ¡Como si esta enfermera no supiera lo que pasó realmente! ¿Por qué les permiten mentir? ¿Para tranquilizar a los enfermos? Uno ya no es una criatura.

Ella, implacable con sus tortuosos embustes:

— Y mire usted, doctor, se decidió suspender la operación por el momento, ¿y sabe usted lo que ocurrió? Que recibimos la gran noticia, todos la estábamos esperando, el doctor Roach sobre todo, y es que con el nuevo modelo de *scanner* se puede saber exactamente si los intestinos han quedado afectados por el cáncer. ¡Aunque haya una sola celulita! Y el suyo, doctor, su colon quiero decir, está limpio como si lo hubieran lavado con agua de rosas.

Esta enfermera, además de ser una mentirosa, es una cursilona. ¡Agua de rosas! Nada menos. Decido no escuchar más y lentamente voy quedando dormido. No debo de estarlo tan profundamente que no pueda seguir oyendo algunas de sus babosidades. Tengo la impresión de que ha llegado el cirujano; siento unas palmaditas en el hombro, como felicitándome. Y, una vez más, aquello de «vaya suerte que ha tenido, doctor», con el inevitable «Ahora reposo, mucho reposo».

Cada vez me estoy hundiendo más en el sueño, ya no oigo nada, todo, se va sumiendo en una oscuridad profunda.

Y de repente se hace la claridad.

Estoy de nuevo con Calipso. Hemos recogido, por fin, no sin algunos incidentes menores, a Juan. El trayecto a Nueva Esperanza ha transcurrido sin tropiezos. Hemos cenado, como me lo había propuesto, en Odette's y ahora estamos sentados en los bancos de madera rústica, en torno a una mesa blanca, bajo un toldo azul celeste, respirando el aire de la noche, sin hablarnos, pensando, pensando...

Nostalgia del infierno.

Este libro se acabó de imprimir
en Limpergraf, S.A. (Ripollet del Vallés)
en el mes de septiembre de 1989